Titels in deze serie :

DE KLEINE LORD

naar Frances Burnett

Bewerking van Attie Spitzers
Illustraties van Roger Payne

Uitgeverij HEMMA

Hoofdstuk I

EEN GROTE VERANDERING

Cedric wist niet wat er allemaal gebeurd was, want niemand had hem iets verteld. Hij herinnerde zich dat zijn vader groot en sterk was geweest, blauwe ogen had en een lange snor. Zijn moeder had hem alleen gezegd dat zijn vader een Engelsman was. Ook wist hij nog dat hij het heerlijk had gevonden als zijn vader hem op zijn schouders de kamer ronddroeg. Maar dat was dan ook alles.

Al een tijdje had hij begrepen dat hij er beter niet met zijn moeder over kon spreken. Toen zijn vader ziek was geworden, was hij uit logeren gestuurd en toen hij weer thuis kwam, was alles voorbij. Zijn moeder was ook erg ziek geweest. Ze zat weer voor het eerst in een stoel voor het raam. Ze was bleek en mager en had een zwarte japon aan.

— Liefste, is papa weer beter ? vroeg Cedric. Heeft hij nog pijn ?

Hij noemde zijn moeder altijd « Liefste », omdat papa dat ook deed en hij het vanaf het moment hij heel klein was had overgenomen.

Cedric voelde aan dat ze troost nodig had. Hij sloeg een arm om haar hals en kuste haar.

Zijn moeder begon te huilen.

— Nee, snikte ze, hij heeft geen pijn meer. Lieve kleine jongen, nu hebben we alleen elkaar nog.

Cedric begreep dat zijn vader nooit meer terug zou komen... dat hij dood was. Hij vond het beter er niet verder op in te gaan, omdat zijn moeder bleef snikken.

Er kwam zelden iemand op bezoek, omdat Cedrics moeder weinig mensen kende. Ze was wees, toen ze haar aanstaande man, kapitein Cedric Errol, leerde kennen. Hij had het meisje erg aardig gevonden en was er na een tijdje mee getrouwd. Ze droeg geen adellijke naam en daarom was de vader van kapitein Errol, een schatrijke Engelse edelman, het niet eens geweest met de keuze van zijn zoon. De man had drie zonen, waarvan kapitein Errol de jongste was geweest. Volgens de Engelse wetgeving zou de oudste de titel en de bezittingen van de vader erven. Als die stierf, zou de tweede zoon recht hebben op de titel en de totale erfenis en vervolgens de derde. Kapitein Errol had dus weinig kans via zijn familie rijk te worden.

Maar de natuur had de jongste iets gegeven dat de twee anderen niet bezaten en dat meer waard was dan geld en bezittingen. Hij had een goed hart, was vriendelijk, goedlachs, intelligent en altijd bereid iedereen te helpen. Daarom hielden de mensen van hem. Zijn broers daarentegen waren heel anders. Zij waren lui, verkwistend en egoïstisch. De oude graaf vond het verschrikkelijk jammer dat juist de jongste zoon alle gaven had om hem later op te volgen. Toch zou daar niets van terechtkomen, omdat de wet het verbood. Diep in zijn hart had de oude man een zwak voor zijn jongste zoon. Daarom had hij hem naar Amerika gestuurd. Zo zou hij niet de hele dag bezig zijn de karakters van de jongste en de twee oudsten met elkaar te vergelijken.

Na een paar maanden begon de graaf zijn jongste zoon te missen en schreef hij hem een brief, waarin stond dat Cedric onmiddellijk thuis moest komen. Deze brief kruiste die van zijn zoon, die schreef dat hij in Amerika een meisje had leren kennen waarmee hij wilde trouwen. Toen de oude graaf die brief las werd hij razend. Hij liep naar zijn schrijftafel en schreef terug dat Errol nooit meer een voet in huis mocht zetten. Hij zou hem voortaan niet meer als zijn zoon beschouwen.

De kapitein was erg verdrietig toen hij dat las, want hij hield enorm veel van zijn land en zijn ouderlijk huis. Ook voor zijn vader koesterde hij diepe gevoelens. Hij wist echter dat hij alles voorgoed kwijt was. Wat moest hij beginnen? Hij vestigde zich met zijn jonge vrouw in Amerika, nam ontslag uit het Engelse leger en wist met veel moeite een baan te krijgen.

De twee jonge mensen moesten in New York heel bescheiden leven. Dat was voor kapitein Errol een enorme verandering, want hij had altijd een onbezorgd leventje gehad. Toch hoopte hij door hard te werken op een betere situatie. In een stille straat huurde hij een huisje en niet lang erna werd daar een zoontje geboren dat Cedric werd genoemd. Het leven als man en vader beviel kapitein Errol heel goed en nooit had hij er spijt van met het Amerikaanse meisje te zijn getrouwd.

Cedric leek zowel op zijn vader als op zijn moeder. Hij was een allerliefst kereltje, dat bijna nooit huilde, goed gezond was en veel plezier in het leven had. Dankzij zijn goede manieren vertederde hij iedereen. Al heel jong had hij goudblond haar dat in krullen om zijn hoofdje golfde. Hij had bruine ogen, lange wimpers en een lief gezichtje. Met negen maanden kon hij al lopen en toen hij wat ouder werd, mocht hij met zijn moeder of het dienstmeisje buiten wandelen. De buren haalden hem aan en de kruidenier op de hoek, die bekend stond als een oude brompot, wuifde dan naar hem.

Cedric groeide op tot een aantrekkelijke jongen. De dames in de straat bleven altijd even stilstaan om hem te bewonderen en waren verrukt over de beleefde manier waarop hij antwoord gaf. Cedric deed altijd zijn best om het anderen naar hun zin te maken.

Toen hij begreep dat zijn vader nooit meer terug zou komen en zag hoe zijn moeder eronder leed, deed hij alles wat in zijn vermogen lag om haar te troosten. Hij kroop bij haar op schoot en gaf haar een zoen, of zocht een prentenboek op en liet haar mooie platen zien. Hij hoopte dat ze zo haar eenzaamheid een beetje zou vergeten. Op een dag hoorde hij haar tegen het dienstmeisje zeggen :

— Oh Mary, het is ongelooflijk. Ik weet vast en zeker dat hij mij op zijn eigen kinderlijke manier wil helpen. Hij fronst soms zijn voorhoofd alsof hij zich zorgen om me maakt en dan geeft hij me een kusje, of brengt hij me wat van zijn speelgoed. Hij is echt een klein mannetje dat heel veel begrijpt.

Moeder en zoon waren onafscheidelijk. Ze speelden, wandelden en spraken samen. Zijn moeder begon weer een beetje kleur te krijgen. Ze kon weer lachen als hij iets ondeugends deed en leerde hem lezen uit boeken en tijdschriften.

— Laatst, op een avond, vertelde Mary het dienstmeisje aan kruidenier Hobbs, kwam hij bij me in de keuken. Dat was op de dag dat er een nieuwe president werd gekozen. Hij vertelde me dat hij het druk had met de verkiezingen : « Ik ben een Republikein en Liefste ook, zei hij. Ben jij ook een Republikein, Mary? » Ik antwoordde dat ik eigenlijk Democraat was. Hij keek me verbaasd aan en zei: « Mary, dat is niet goed, dan komt het land in gevaar. » Tja, meneer Hobbs, in dat hoofdje gaat heel wat om.

Geen wonder dat Mary veel van hem hield. Vanaf zijn geboorte zorgde ze al voor hem. Sinds de dood van zijn vader had ze de taak van kokkin, kamermeisje en kinderjuffrouw op zich genomen. Ze was trots op haar kleine baas. Ze hield van zijn goede manieren en de goudblonde krullen op zijn schouders. Elke morgen stond ze vroeg op om hem te helpen met aankleden.

— Je lijkt op een prins, zei ze dan. Niemand van Fifth Avenue is zo goed gekleed. In je zwarte fluwelen pakje met kanten kraag en met je blonde krullen die glanzen in de zon, zie je eruit als een kleine lord.

Cedric wist niet wat een lord was. Hij kende alleen zijn kleine wijk en bracht vaak een bezoekje aan de kruidenier, meneer Hobbs, die op de hoek woonde. Hij was een brommerige man, maar tegen Cedric bromde hij nooit. Cedric bewonderde meneer Hobbs. Hij dacht dat hij een rijk en machtig man was, omdat hij zoveel dingen in zijn winkel had : pruimen, chocolade, sinaasappels en koekjes. Ook had hij een paard en een kar om bestellingen af te leveren. Cedric bezocht hem elke dag en sprak dan over veel onderwerpen. Over politiek bijvoorbeeld raakten ze nooit uitgepraat. Meneer Hobbs had een hekel aan Engelsen, maar hij raakte in vuur en vlam als hij sprak over de Onafhankelijkheidsoorlog. Dan vertelde hij zo boeiend, dat de ogen van Cedric glinsterden en zijn wangen gloeiden, als hij zijn moeder het hele verhaal overbracht. Cedric was op de hoogte van alles wat er gebeurde en meneer

Hobbs vertelde hem of de president al dan niet zijn plicht deed. Natuurlijk waren de presidentsverkiezingen aanleiding voor lange, diepgaande gesprekken en dankzij de kruidenier kon Cedric zich er een oordeel over vormen.

Enige tijd na de verkiezingen gebeurde er iets dat een geweldige ommekeer in zijn leven bracht. Op die dag sprak hij met meneer Hobbs over Engeland en de koningin. De kruidenier ging tekeer tegen de Engelse aristocratie en begon te schelden op graven en markiezen, zoals die aan het publiek werden getoond in « De Nieuwe Geïllustreerde van Londen », een tijdschrift dat hij net had gelezen.

— Ah, zei de kruidenier. Kijk eens hoe het er in hun mooie wereldje aan toegaat. Die mooie lords kennen alleen een luxe leventje, feesten en privileges.

Iets anders bestaat er niet voor hen. Maar ze zullen het wel merken als de mensen die ze hebben vertrapt, tegen hen opstaan. Dan kunnen graven, markiezen en de heleboel ophoepelen !

ı Zoals gewoonlijk was Cedric op een beschuittrommel geklauterd en zat hij met de handen in zijn zakken aandachtig naar meneer Hobbs te luisteren.

— Kent u veel graven en markiezen? vroeg hij.

— Godzijdank niet ! riep de kruidenier uit. Ik zou niet willen dat ze een voet in mijn winkel zetten. Je denkt toch niet dat ik zo'n hebzuchtige tiran op jouw plaats liet zitten ?

Meneer Hobbs fronste na deze verklaring, waar hij heel trots op was, zijn voorhoofd.

— Misschien zijn ze graven en markiezen omdat ze niets anders kunnen, merkte Cedric op, terwijl hij toch wel zoiets als medelijden voelde voor die arme adellijke mensen die zoveel haat opriepen.

— Denk je dat ze dat zouden willen? Je bent te naïef, jonge vriend. Ze zijn er juist trots op dat ze blauw bloed in de aderen hebben.

Juist op dat moment van het gesprek kwam Mary de kruidenierszaak binnen. Cedric dacht dat ze boodschappen kwam doen. Maar waarom was ze zo opgewonden? Mary was buiten adem en met haar muts scheef op het hoofd hijgde ze :

— Kom mee, Cedric. Je moet onmiddellijk bij je moeder komen.

Cedric liet zich van de ton glijden.

— Wat is er, Mary? Gaat moeder met me wandelen?

— Nee, dat niet.

Mary leek wel heel erg buiten adem voor zo'n korte wandeling.

— Is mama ziek? vroeg Cedric ongerust

— Welnee. Kom nu maar snel. Er is thuis bezoek.

Haastig liepen ze naar huis en Cedric zag een rijtuig voor de deur staan. Hij hoorde Liefste in de voorkamer met iemand praten.

Mary ging meteen met hem naar boven en liet hem zijn beste pakje aantrekken. Ze knoopte een rode sjerp om zijn middel en borstelde zorgvuldig zijn lange blonde krullen.

— Een lord, mompelde ze tussen haar lippen. Wat een geschiedenis... Een echte lord... hoe bestaat het... Cedric keek het meisje verwonderd aan, maar hij had vertrouwen in zijn moeder en sloeg verder geen acht op haar gemompel. Eindelijk zei Mary dat hij naar beneden mocht gaan. Hij holde de trap af en ging de voorkamer in.

Daar zag hij in de leunstoel een lange, magere, oude heer met een scherp gezicht. Mama stond naast hem. Ze zag er opgewonden uit. Haar gezicht was heel bleek en ze had tranen in haar ogen. Toen hij binnenkwam nam ze hem in haar armen.

— Oh Cedric, zei ze bewogen... Oh, lieveling.

De oude heer stond op uit zijn stoel en keek de jongen met koele ogen aan. Het leek of hij toch niet ontevreden was.

— Zo, zo, zei hij eindelijk. Dat is dus de kleine lord Fauntleroy.

Hoofdstuk II

DE VRIENDEN VAN CEDRIC

In de loop van de week tuimelde Cedric van de ene verbazing in de andere. Het begon met het vreemde verhaal dat zijn moeder hem vertelde. Ze moest het wel twee-, driemaal herhalen, voor hij het begreep. Het ging erom dat zijn grootvader, die hij nooit had gezien, een graaf was. Zijn oudste oom, die grootvader zou opvolgen, was van zijn paard gevallen en overleden. Daarop zou de tweede zoon graaf worden, maar die had tijdens een verblijf in Rome koorts gekregen, waaraan hij was gestorven. Nu waren de drie broers, zijn onbekende ooms en zijn vader, dus dood en was hij, Cedric, de enige erfgenaam van de titel. Later zou hij graaf worden, maar voorlopig zou hij lord Fauntleroy zijn. Dat alles had meneer Havisham, de bezoeker van een paar dagen geleden, uitgelegd. Toen zijn moeder het vertelde, werd hij bleek. Hij wilde liever geen graaf worden, maar zijn moeder legde hem uit dat het heel belangrijk voor hem was. Zijn grootvader had iemand gestuurd om hem mee naar Engeland te nemen en zijn moeder was na lang aarzelen daarmee akkoord gegaan.

— Weet je, Cedric, zei ze een beetje verdrietig. Als je vader nog geleefd had zou hij zeker hebben gewild dat je ging. Hij hield heel veel van Engeland en zijn ouderlijk huis. Bovendien zou ik je alleen uit eigenbelang hier houden. Er zijn heel veel voordelen aan verbonden, maar je bent nog te klein om dat te begrijpen. Als je groot bent, weet je wat ik bedoelde.

Cedric keek sip.

— Ik zal meneer Hobbs heel erg missen... en alle anderen ook.

De volgende morgen ging hij na het ontbijt naar meneer Hobbs.

— Meneer Hobbs, begon Cedric voorzichtig, weet u nog waar we de vorige keer over spraken?

— Was dat niet over Engeland, koningin Victoria en de Engelse aristocratie? vroeg de kruidenier. We hadden er niet veel goeds over te zeggen, als ik me goed herinner.

— U zei toch dat ze nooit op uw beschuit-trommels mochten gaan zitten?

— Ja, dat heb ik gezegd. Laat er maar eens één komen om het te proberen.

— Oh, meneer Hobbs, er zit er al één op deze trommel.

Meneer Hobbs sprong op van zijn stoel.

— Wat zeg je me daar? vroeg hij.

Hij dacht dat Cedric een zonnesteek had opgelopen.

— Ja, zei Cedric een beetje verlegen. Ik ben een graaf, of liever gezegd, later word ik er één.

Hij legde het allemaal uit aan meneer Hobbs, die zich het zweet van zijn voorhoofd wiste.

— Ik heet dus Cedric Errol, lord Fauntleroy, voegde de jongen eraan toe. Zo heeft meneer Havisham me genoemd.

Nog een hele tijd bleef hij met zijn grote vriend praten over de reis die hij zou maken naar Engeland.

*   *

*

Meneer Havisham was advocaat en al veertig jaar in dienst van de graaf. Zijn baas had veel vertrouwen in hem en had daarom deze man er op uitgestuurd om lord Fauntleroy naar Engeland te brengen.

Hij kwam de volgende dag weer op bezoek en bij die gelegenheid kwam Cedric meer te weten. Hij zou op een dag erg rijk zijn en kastelen, landerijen, mijnen en parken bezitten.

Meneer Havisham was een eerlijk man. Hij had zijn hele leven in Engeland doorgebracht en wist niets van Amerika en Amerikanen. Wel wist hij dat de graaf zijn schoondochter haatte en dacht dat ze uit winstbejag met kapitein Errol was getrouwd. Eerlijk gezegd dacht Havisham er precies zo over. Toen hij de eerste keer met zijn rijtuig voor het bescheiden huis stond, was hij geschrokken. Woonde daar de toekomstige eigenaar van Dorincourt, Wyndham, Chalworth en nog enkele andere bezittingen? Het idee met dat kind en zijn moeder kennis te moeten maken stond de man maar matig aan. Hij was er trots op voor de edele familie van de graaf van Dorincourt te werken. Wat zou hij in dat kleine sombere huis aantreffen? Meneer Havisham was een man met mensenkennis en hij kon heel veel van een gezicht aflezen.

Op het moment dat mevrouw Errol de kleine salon binnenkwam waar hij door Mary was heengebracht, zag hij al snel in dat de graaf zich vergist had. Tegenover hem stond een knappe, lieve vrouw, die uit liefde met kapitein Errol was getrouwd.

Na het vertellen van het doel van zijn komst werd de vrouw krijtwit.

— Oh, fluisterde ze. U bent gekomen om mijn zoon van me af te nemen. Ach, we houden zoveel van elkaar. Hij is alles wat ik op de wereld nog bezit... Mijn enige geluk... Ik heb mijn best gedaan een goede moeder voor hem te zijn.

De advocaat kuchte.

— Mevrouw, zei hij ongemakkelijk. Ik ben verplicht u te vertellen dat de oude graaf van Dorincourt... eh... dat... hij u geen goed hart toedraagt. Hij heeft altijd een grote afkeer gehad van Amerika en de Amerikanen. Destijds was hij erg boos over het huwelijk van zijn zoon. Het spijt me het te moeten zeggen, maar de graaf wenst geen kennis met u te maken. De kleine lord zal bij hem op Dorincourt gaan wonen. Daar woont hij bijna het hele jaar. Hij lijdt vreselijk aan jicht en houdt niet van Londen. Dichtbij het kasteel staat Court Lodge, een aardig huis, dat hij voor u heeft bestemd. Natuurlijk zal hij ervoor zorgen dat u financieel niets tekortkomt en lord Fauntleroy mag u daar zo vaak bezoeken als u wenst. De enige voorwaarde is dat u niet op bezoek komt op het kasteel. U wordt dus niet helemaal van uw zoon gescheiden. Als u er goed over nadenkt is deze regeling zelfs niet onvoordelig voor u... Ik ben ervan overtuigd dat de opvoeding van lord Fauntleroy op die manier goed geregeld is.

Zwijgend had mevrouw Errol de advocaat aangehoord. Er stonden tranen in haar ogen. Ze ging naar het raam en staarde naar buiten.

— Zijn vader zou het zo hebben gewild en daarom moet ik me erover heenzetten, dacht ze.

Nadat ze zich had omgedraaid zei ze dapper tegen meneer Havisham :

— Voor Cedric is het natuurlijk het beste dat hij wordt opgevoed in overeenstemming met zijn toekomstige titel. Ik hoop dat de oude graaf veel van hem zal houden en dat hij niet van zijn moeder zal vervreemden.

— Wat een edelmoedig mens, dacht de advocaat. Ze denkt totaal niet aan zichzelf en stelt geen enkele voorwaarde.

Hij keek haar aan en zei :

— Mevrouw, ik ben er zeker van dat lord Fauntleroy u ooit dankbaar zal zijn voor deze opoffering. Ik kan u verzekeren dat hij de beste opvoeding ontvangt die er bestaat.

— Mijn zoon heeft vooral liefde nodig, antwoordde ze met schorre stem. Hij heeft een warm, aanhankelijk karakter en is altijd met liefde omringd.

Om dat moment liet Mary de kleine jongen binnen. Meneer Havisham had gedacht een ruwe, wilde jongen te zien, maar daar stond een beleefd knulletje, dat netjes een hand gaf.

— En dit is dus de kleine lord Fauntleroy ?

Cedric sprak even vrijmoedig met de advocaat als met meneer Hobbs. Hij was niet verlegen, maar beslist ook niet brutaal. Meneer Havisham vond het kind knap, maar ook een echte jongen.

De dag erop kwam de advocaat weer op bezoek.

— Weet u, zei Cedric tegen hem, dat ik niet eens weet wat een graaf is ?

— Oh, nee ?

— Nee en ik vind dat een jongen die er later één wordt het toch hoort te weten. Wilt u het me uitleggen ?

— Van oorsprong wordt iemand graaf gemaakt door de koning of koningin, omdat hij de vorst of het land een goede dienst heeft bewezen.

— Net als een president ! riep Cedric uit.

— Is dat zo ?

— Jazeker, antwoordde Cedric. Als iemand goed is, veel weet en diensten bewijst aan zijn land, wordt hij tot president gekozen. Dan zijn er feesten en fakkeloptochten.

— Graaf zijn is toch iets heel anders dan president zijn. Een graaf is een belangrijk persoon van zeer oude afkomst.

— Wat is dat? vroeg Cedric.

— Wel, een heel oude familie.

— Oh, nu begrijp ik het. Net als het appelvrouwtje dat bij het parkhek zit. Zij is misschien wel honderd jaar oud en toch moet ze altijd maar buiten zitten, al regent het nog zo hard. Laatst had Bill bijna een dollar bij elkaar gespaard en toen heb ik hem gevraagd elke dag appels bij het vrouwtje te kopen. Ik zelf deed dat ook. Het is heel verdrietig als je zo arm bent en een heel oude afkomst hebt.

— Ik geloof dat je het niet goed begrepen hebt. Toen ik het over oude afkomst had, bedoelde ik niet een hoge leeftijd. Ik bedoelde dat de naam van zo'n familie al heel lang bekend is en dat de leden ervan een grote rol hebben gespeeld in de geschiedenis.

— Oh, net als George Washington, zei Cedric. Dat was beslist een dapper man en hij wordt nog steeds herdacht.

Meneer Havisham was een beetje van zijn stuk gebracht.

— De eerste graaf van Dorincourt kreeg vierhonderd jaar geleden zijn titel, zei hij toen plechtig. Zijn afstammelingen hielpen Engeland

23

regeren. Sommigen waren heel dapper en hebben meegevochten in grote veldslagen.

— Dat zou ik ook wel eens willen doen. Mijn vader was kapitein. Hij was even dapper als George Washington. Het is goed om dapper te zijn. Vroeger was ik bang in het donker, maar nu niet meer.

— Goed zo, zei meneer Havisham. Maar er is nog iets dat je moet weten. Het is een voordeel graaf te zijn, want graven zijn vaak rijk.

— Is dat waar? Ik zou graag veel geld hebben.

— Zo, en waarom dan? vroeg de advocaat, terwijl hij de jongen doordringend aankeek.

— Nou, met dat geld kun je veel dingen doen. Ik zou bijvoorbeeld voor het appelvrouwtje een kraampje kunnen kopen met een kacheltje erin. Als het regende zou ik haar een dollar geven, zodat ze rustig thuis kon blijven. Ik zou voor haar een warme omslagdoek kopen, dan zouden haar botten niet meer zo'n pijn doen. Voor Liefste zou ik veel mooie dingen kopen : naaldenboekjes, gouden vingerhoeden en een rijtuig, dan hoefde ze nooit meer op de tram te wachten. En dan voor Dick...

— Wie is Dick?

— Dick is een schoenpoetser. Hij is de aardigste schoenpoetser van de hele wereld. Jack is zijn compagnon en hij is de slechtste compagnon die iemand kan hebben. Hij bedriegt de mensen en daardoor gaan de zaken slecht. Als ik rijk was, zou ik Jack afkopen en Dick een mooi uithangbord, nieuwe borstels en mooie kleren geven.

Cedric vertelde verder wat hij allemaal zou doen

24

als hij rijk zou zijn. Meneer Havisham was erg onder de indruk. Niet door de cadeaus die Cedric aan de armen wilde geven, maar door het feit dat het kereltje totaal niet aan zichzelf dacht.

— En zou je dan niet iets voor jezelf willen hebben? vroeg meneer Havisham. Er is toch wel iets dat jij graag wil hebben en dat met geld gekocht kan worden?

— Oh, een heleboel, antwoordde de kleine lord. Maar eerst zou ik Bridget een paar dollar geven. Zij is de zus van Mary, weet u. Ze heeft tien kinderen en haar man heeft geen werk. Ze komt hier vaak en dan huilt ze. Dan doet Liefste iets voor haar in een mandje en dan zegt ze : « God zal het u lonen, mevrouw. » Meneer Hobbs zou wel graag een gouden horloge met een ketting willen hebben, denk ik en een meerschuimen pijp. En ik... zou graag een compagnie willen hebben.

— Een compagnie? herhaalde meneer Havisham verbaasd.

— Ja, met vaandels en uniformen. Dan zouden we gaan exerceren en marcheren.

De deur ging open en mevrouw Errol kwam binnen.

— Het spijt me dat ik u zolang alleen heb moeten laten, meneer Havisham, zei ze. Er was een arme vrouw, die me beslist even moest spreken.

— Cedric heeft me ondertussen over zijn vrienden verteld en alles wat hij voor hen zou doen als hij rijk was.

— Bridget is één van zijn vrienden, zei mevrouw

Errol. Ik heb net met haar gesproken. Ze is erg verdrietig, omdat haar man ziek is.

Cedric liet zich onmiddellijk van zijn stoel glijden.

— Ik ga haar even goedendag zeggen en vragen hoe het met haar man is, verklaarde hij. Haar man is heel erg aardig. Hij heeft eens een houten zwaard voor me gemaakt.

Daarop liep hij snel de kamer uit. Meneer Havisham stond op uit zijn stoel en dacht even na. Toen zei hij :

— Voor ik Dorincourt verliet heb ik eerst een gesprek gehad met de graaf. Die drukte me op het hart elke wens van de kleine lord te vervullen. Hij stond erop dat lord Fauntleroy zou weten dat zijn grootvader hem alles zou geven wat hij wenste. Wanneer het lord Fauntleroy plezier doet deze arme vrouw te helpen, zou de graaf beslist niet willen dat deze wens onvervuld bleef.

De advocaat had de woorden van de graaf enigszins verdraaid overgebracht. In werkelijkheid had hij gezegd :

— Laat de jongen goed begrijpen wat het wil zeggen de kleinzoon te zijn van de graaf van Dorincourt. Koop alles voor hem waar hij zin in heeft en laat hem goed voelen dat hij dat aan zijn grootvader te danken heeft.

De edelmoedigheid van de graaf was gebaseerd op egoïsme, maar mevrouw Errol was geen vrouw om het slechte achter iets of iemand te zoeken. Zij was blij dat Cedric met deze nieuwe rijkdom Bridget kon helpen en zo kon bewijzen dat hij een goed hart had.

— Dat is erg aardig van de oude graaf, zei ze. Wat zal Cedric daar blij om zijn. Hij heeft altijd zoveel van Bridget en haar gezin gehouden en bovendien verdienen ze het. Jammer genoeg kon ik hen niet voldoende helpen. Michaël is een goede werkman, maar hij is lang ziek geweest en heeft dure medicijnen nodig gehad. Ook moet hij versterkend voedsel en warme kleren hebben.

Meneer Havisham begon te lachen toen hij dacht aan de manier waarop hij het geld van zijn edele werkgever, die egoïstisch was en erg gesteld op materiële zaken, zou uitgeven. Hij haalde een dikke portefeuille uit zijn binnenzak en zei :

— De graaf van Dorincourt is erg rijk. Als u het goed vindt zal ik hem vijfentwintig dollar geven voor die mensen.

— Vijfentwintig dollar ! riep mevrouw Errol uit. Maar dat is een kapitaal ! Meent u dat werkelijk ?

— Uw zoon is machtiger dan u beseft.

— Maar hij is nog zo jong. Hoe zal ik hem kunnen leren goed met al dat geld om te gaan ? Ik moet zeggen dat het mij angstig maakt.

— Mevrouw, uw zoon zal altijd eerst aan anderen denken. Ik geloof dat ons vertrouwen in hem niet beschaamd zal worden.

Mevrouw Errol ging Cedric halen en even later hoorde de advocaat Cedrics stem in de gang :

— Het is de reumatiek en hij vindt het verschrikkelijk dat de huur nog niet betaald is. Bovendien zegt Bridget dat Pat knecht in een winkel zou kunnen worden als hij betere kleren had.

Ze kwamen de kamer binnen. Mevrouw Errol drukte haar zoontje tegen zich aan.

— Cedric, zei ze, jouw grootvader is een goed mens. Hij houdt veel van je en hoopt dat jij ook van hem zult houden. Hij wil dat je gelukkig bent en anderen gelukkig maakt. Daarom heeft hij meneer Havisham geld meegegeven en daarvan mag jij wat aan Bridget geven. Dan kan ze de huur betalen en alles kopen wat Michaël nodig heeft. Wat zeg je daarvan, Cedric? Is je grootvader niet lief?

Het kind straalde.

— Mag ik het geld nu hebben? Dan kan ik het haar geven voor ze weggaat.

Meneer Havisham gaf hem vijfentwintig dollar, waarmee hij de kamer uitrende.

— Bridget, hoorden ze hem roepen. Hier is geld voor de huur. Mijn grootvader heeft het mij gegeven!

— Oh, antwoordde Bridget overdonderd, maar dat is vijfentwintig dollar! Daar moet ik met je moeder over spreken.

— Ik zal het haar gaan uitleggen, zei mevrouw Errol.

Even later kwamen Cedric en zijn moeder terug.

— Ze huilde, vertelde hij. Ze zei dat het van blijdschap was. Ik had nog nooit iemand zien huilen van blijdschap. Ik geloof dat het toch wel leuk is graaf te zijn. Nu ben ik blij dat ik er later zelf één zal worden.

Hoofdstuk III

HET VERTREK

In de daaropvolgende dagen begon Cedric hoe langer hoe meer de voordelen van het graaf zijn in te zien. Het was bijna niet te geloven dat er nu bijna geen wens onvervuld hoefde te blijven. Uit gesprekken met meneer Havisham werd hem duidelijk dat hij alles mocht doen wat hij wilde en toen dat goed tot hem was doorgedrongen begon hij verschillende plannen te maken. In de week voor zijn vertrek naar Engeland bracht hij samen met de advocaat een bezoek aan Dick in het centrum van New York en aan het appelvrouwtje bij het hek van het park.

Hij verbaasde het oude vrouwtje in haar stalletje door te vertellen dat ze binnenkort een kraampje, een kacheltje, een omslagdoek en een som geld zou krijgen. Het was bij elkaar zoveel, dat het voor het vrouwtje een geschenk uit de hemel leek.

— Want ziet u, verklaarde hij zijn vrijgevigheid, ik ga naar Engeland om later graaf te worden. Telkens als het regende moest ik aan uw botten denken. Daarom krijgt u dat allemaal, want ik hoop dat het dan beter gaat.

Het vrouwtje lieten ze sprakeloos achter.

— Het is een heel aardig appelvrouwtje, zei Cedric tegen meneer Havisham. Ze heeft mij een appel gegeven toen ik mijn knie had geschaafd. Dat heb ik niet vergeten. Je vergeet nooit mensen die goed voor je zijn, hè?

Nog nooit was bij hem het idee opgekomen dat er op de wereld ook ondankbare wezens zijn.

Bij Dick verliep het onderhoud heel anders. Dick had net ruzie met Jack gehad en zag er teneergeslagen uit. Cedric legde hem rustig uit dat hij lord was geworden en Jack af zou kopen. Bovendien zou Dick al het materiaal krijgen dat nodig was om zijn zaak goed op te zetten. Dat gaf Dick zo'n schok dat hij mond en ogen wijd opensperde.

— Dat is een grap, hè?

— Nee hoor, antwoordde Cedric. Meneer Hobbs dacht eerst dat ik een zonnesteek had opgelopen, maar het is echt waar! Zelf dacht ik dat ik het niet leuk zou vinden om lord te zijn, maar nu ik aan de gedachte gewend ben, vind ik het best prettig.

Mijn grootvader is graaf, zie je en hij doet alles om mij plezier te doen. Hij heeft me veel geld gestuurd en daarmee mag ik Jack afkopen en nieuwe borstels en een uithangbord voor jou betalen.

Dick kon eerst niet in zijn geluk geloven. Hij had het gevoel dat hij droomde en kwam pas tot de werkelijkheid terug toen de kleine lord hem een hand gaf.

— Nu Dick, het beste ermee.

De kleine jongen keek hem met vaste blik aan, maar zijn oogleden knipperden en zijn stem was schor.

— Ik hoop dat de zaken goed zullen gaan, ging Cedric verder. Je moet me maar eens schrijven. Hier is mijn adres. Ik heet niet meer Cedric Errol, maar lord Fauntleroy. Tot... tot ziens, Dick.

Dick was er ondersteboven van.

— Ik wou dat je niet wegging, zei hij hees.

De laatste dagen voor zijn vertrek naar Engeland zat Cedric vaak in de winkel van meneer Hobbs. De kruidenier was door het aanstaande vertrek van zijn vriendje stil en bedrukt. Toen de kleine jongen hem met een triomfantelijk gezicht een gouden horloge als afscheidscadeau gaf, kon hij eerst niets zeggen.

— Er staat binnenin de kast wat geschreven, zei Cedric. Ik heb zelf tegen de horlogemaker gezegd dat hij erin moest schrijven : « Voor meneer Hobbs, van zijn vriend lord Fauntleroy. Als u dit leest, denk dan aan mij. »

— Ik zal je nooit vergeten, zei meneer Hobbs, terwijl hij luidruchtig zijn neus snoot.

— Ik u ook niet, verklaarde Cedric. Ik heb zoveel fijne uren met u gepraat! Ik hoop dat u me later nog eens op komt zoeken. Grootvader zal het vast goed vinden. Het kan u toch niet schelen dat hij graaf is? U komt toch, ondanks het feit dat u Republikein bent, hè?

— Als ik jou daarmee plezier kan doen, kom ik, antwoordde meneer Hobbs.

Eindelijk brak de dag van vertrek aan. De koffers werden naar de boot gebracht. Het rijtuig dat Cedric en zijn moeder naar de haven moest brengen stond al voor het huis. De kleine jongen voelde zich een beetje verdrietig. Zijn moeder had zich in haar kamer opgesloten, maar kwam nu met rood behuilde ogen en trillende lippen te voorschijn. Cedric sloeg zijn armen om haar hals en kustte haar. Het was niet eenvoudig dit leven achter zich te laten.

— We houden veel van dit huis, hè, Liefste?

— Ja, antwoordde ze, nauwelijks verstaanbaar. We houden er heel veel van.

In het rijtuig keek Cedric, die zich dicht tegen zijn moeder had aangedrukt, nog een keer achterom.

Op de boot was het een drukte van belang. Reizigers liepen af en aan, zware koffers en kisten werden aan boord gebracht en zeelieden waren bezig de boot klaar te maken voor de afvaart.

Cedric vond alles even interessant : de tuigage, de zeilen, de masten... Hij vroeg zich af of hij met de matrozen een praatje kon beginnen over piraten en onbewoonde eilanden. Op het moment dat hij zich over de reling boog, zag hij dat er bij de mensen

op het dek iets aan de hand was. Er kwam een jongen aangerend met iets roods in de hand... Het was Dick.

— Ik heb het hele eind gehold, hijgde hij. Ik kom je nog even goede reis wensen. De zaken gaan nu uitstekend. Kijk, dit heb ik gekocht van het geld dat ik gisteren heb verdiend. Dat kun je best gebruiken, als je bij die grote lui in Engeland bent. Het is een halsdoek.

Hij ratelde alles achterelkaar af. Dat was maar goed ook, want de bel voor vertrek luidde al. Eer Cedric de tijd kreeg een woord terug te zeggen, was Dick verdwenen. Hij had nog net tijd om te zeggen :

— Vergeet niet hem te dragen !

Cedric hield de halsdoek in zijn hand. Hij was van helderrode zijde, versierd met gele paardenhoofdjes.

De bel klonk voor de tweede keer en de loopplank werd ingehaald.

De mensen op de kade begonnen hun vrienden en familie toe te roepen en de passagiers riepen terug:

— Vaarwel, vaarwel !

De kleine lord Fauntleroy boog zich over de reling en wapperde met de rode halsdoek.

— Tot ziens, Dick ! Tot ziens !

De boot maakte zich los van de kade en de mensen riepen nog harder. Dick zag alleen maar het witte gezichtje van het kind, zijn blonde krullen en een handje met een rode doek. De boot verwijderde zich en bracht de kleine lord naar het vreemde land van zijn voorvaderen.

Hoofdstuk IV

IN ENGELAND

Pas toen ze onderweg waren had mevrouw Errol aan Cedric verteld dat ze niet in hetzelfde huis zouden wonen. Dat deed hem veel verdriet. Heel voorzichtig, omdat ze hem niet overstuur wilde maken door het vooruitzicht van een scheiding, had ze hem uitgelegd hoe het allemaal zou verlopen.

— Het huis waar ik ga wonen is niet ver van het kasteel, zei ze. Het is zo dichtbij dat je elke dag bij me kunt komen om te vertellen wat je hebt gedaan. Jij gaat in een prachtig kasteel wonen, daar heeft je vader me van alles over verteld. Hij hield er heel veel van!

Mevrouw Errol vond het verstandiger niet de ware reden van de scheiding te vertellen. Ze was bang dat dat hem een schok zou geven. Tegen meneer Havisham zei ze :

— Cedric zal niet begrijpen dat zijn grootvader een hekel aan mij heeft. Hardheid en haat zijn in zijn leven nog nooit voorgekomen.

Cedric werd eenvoudig uitgelegd dat het om een belangrijke reden ging, die hij later beter zou begrijpen. De reden van deze scheiding hield hem niet erg bezig, maar het feit van zijn moeder te worden gescheiden, wel. Hij sprak er erg vaak met haar over, en zij probeerde hem te troosten. Ze wees erop dat zijn grootvader hem hard nodig had, nu zijn kinderen waren gestorven. Cedric begreep dat best, maar nu en dan zat hij somber voor zich uit te kijken, terwijl hij diep zuchtte.

— Ik vind het niet leuk, bekende hij tegen meneer Havisham. Maar er zijn in het leven heel veel dingen die niet leuk zijn, nietwaar ? Die moet je verdragen. Dat hebben meneer Hobbs en Mary me al heel vaak verteld. Liefste wil dat ik van grootvader houd, want de arme man heeft zijn drie zonen verloren. Wat erg voor hem !

Met een serieus gezicht sprak het kind met zijn mooie krullen dan weer met deze en dan weer met gene. Meneer Havisham begon hoe langer hoe meer plezier in het gebabbel van de jongen te krijgen.

— Ga je je best doen om van de graaf te houden ? vroeg de advocaat.

— Natuurlijk, antwoordde Cedric. Hij is familie

van me en van familie moet je houden. Bovendien is hij heel erg goed voor me geweest. Als iemand zoveel voor je doet en je alles geeft wat je graag wilt hebben, dan moet je wel veel van hem houden.

— En zou je grootvader veel van jou gaan houden, Cedric?

— Dat denk ik wel. Ik ben toch familie van hem? Ik ben de zoon van zijn zoon. Hij houdt vast al van me, anders zou hij toch niet alles gegeven hebben wat ik graag hebben wil en dan zou hij u toch niet hebben gestuurd om me te halen?

— Oh, zei de advocaat. Zou het daarom zijn?

— Maar natuurlijk, antwoordde Cedric beslist. Gelooft u dat ook niet? Wie zou nou niet van zijn eigen kleinzoon houden!

De passagiers kenden ondertussen de hele geschiedenis van de kleine lord Fauntleroy. Geamuseerd keken ze naar de jongen wanneer hij met zijn moeder wandelde, of met de oude magere meneer, of wanneer het kind een praatje aanknoopte met één van de matrozen.

Met een oude matroos die Jerry heette werd Cedric al snel de beste maatjes. Jerry was een echte zeebonk die spannende verhalen kon vertellen over schipbreuken en kannibalen. Te oordelen naar zijn verhalen, die hij doorspekte met zeemanstaal, moest Jerry zeker een paar duizend reizen hebben gemaakt. Bij elke reis had hij schipbreuk geleden en was hij aangespoeld op een eiland waar menseneters zaten. Als je Jerry wilde geloven was hij zelf verschillende keren half opgegeten en een keer of

37

twintig gescalpeerd.

— Daar komt het door dat hij een kaal hoofd heeft, legde Cedric zijn moeder uit. Als je zo vaak bent gescalpeerd, wil het haar niet meer groeien. Kon ik daarover maar eens met meneer Hobbs praten... Ik heb nog nooit zoveel vreemde dingen gehoord.

Op de dagen dat het slecht weer was en de dames en heren binnen moesten blijven, vroeg men aan Cedric één van de verhalen die hij had gehoord, te vertellen. Op de boten die de oceaan overstaken was nog nooit iemand zo populair geweest als de kleine lord. Hij deed er alles aan om een sterk verhaal zo spannend mogelijk op te dissen.

— Die verhalen van Jerry interesseren iedereen, zei hij op een dag tegen zijn moeder. Soms denk ik wel eens dat niet alles waar kan zijn. Maar toch heeft hij alles zelf beleefd. Misschien is hij een beetje vergeetachtig geworden, of vergist hij zich omdat hij al zo vaak is gescalpeerd. Misschien is gescalpeerd worden niet goed voor het geheugen.

*   *

*

Na een reis van elf dagen kwamen ze in Liverpool aan en op de twaalfde dag na hun vertrek uit New York hield het rijtuig stil voor het hek van Court Lodge, het huis waar mevrouw Errol zou gaan wonen. Door de duisternis konden ze weinig van het huis zien. Het rijtuig hield stil voor de deur, die even later openging. Helder licht straalde naar buiten. De trouwe Mary was vooruitgereisd en stond in de deuropening. Cedric sprong uit het rijtuig en wierp zich met een kreet van vreugde in Mary's armen.

— Ben je goed aangekomen, Mary? vroeg mevrouw Errol. Ik ben blij dat ik je zie. Door jou zal ik me hier heel wat minder eenzaam voelen.

De Engelse bedienden keken nieuwsgierig naar de kleine lord en zijn moeder. Ze wisten dat de graaf heel boos was over het huwelijk van zijn derde zoon en dat mevrouw Errol op Court Lodge zou wonen en het jongetje op het kasteel.

— Wat een mooi huis, hè. Veel groter dan ons huis in New York.

Alles in dit huis zag er schitterend uit.

Mary bracht hen naar boven, waar in de slaapkamer een helder vuurtje brandde. Op het haardkleed voor het vuur zat een witte poes te spinnen.

— Die heeft de huishoudster van het kasteel u gestuurd, mevrouw, zei Mary. Ze is een aardig mens en zal alles doen om het u naar de zin te maken. Ze vertelde me dat de dood van kapitein Errol haar heel veel verdriet deed. Ze heeft hem als kleine jongen en ook later nog gekend. Volgens haar was hij altijd vriendelijk voor iedereen. Toen vertelde ik dat de jonge lord veel op zijn vader leek en het ook altijd iedereen naar de zin wilde maken.

Nadat Cedric en zijn moeder zich hadden verfrist, gingen ze naar beneden. De grote, helder verlichte kamer stond vol prachtige meubels. Voor de haard lag een groot tijgervel. De witte poes was de kleine lord Fauntleroy naar beneden gevolgd en zat nu op het tijgervel. Hij begon haar te aaien, terwijl zijn moeder zacht met meneer Havisham sprak.

— Hij hoeft toch vanavond nog niet naar het kasteel?

— Nee, dat is niet nodig, antwoordde de advocaat. Na het eten ga ik zelf naar het kasteel om de graaf aan te kondigen dat u bent aangekomen.

Mevrouw Errol keek naar Cedric, die rustig met de poes lag te spelen.

— Hij weet niet half wat hij van me afneemt, zuchtte ze.

*   *
*

Later op de avond kwam meneer Havisham aan op het kasteel. De graaf zat in een gemakkelijke leunstoel voor het vuur. Zijn jichtige voet rustte op een laag bankje. Van onder zijn borstelige wenkbrauwen keek hij de advocaat scherp aan. Meneer Havisham merkte duidelijk dat de graaf, ondanks zijn uiterlijke kalmte, ongeduldig was.

— Zo, meneer Havisham, al weer terug van de reis? Wat voor nieuws brengt u me?

— We hebben een goede reis gehad. Lord Fauntleroy en zijn moeder zijn goed aangekomen.

— Dat verheugt mij, antwoordde de graaf kortaf. Neem een glas port en ga zitten. Ik had u opzettelijk verzocht mij niet te schrijven. Ik weet dus nog van niets. Wat is het voor een jongen?

— Het is niet gemakkelijk een oordeel te vormen over het karakter van een jongen van acht jaar.

— Is het een sufferd? Zo'n echte lelijke Amerikaanse jongen?

— Nee, het Amerikaanse bloed heeft hem geen kwaad gedaan, hernam de advocaat kalm. Ik heb niet veel verstand van kinderen, maar ik vind hem heel aardig.

Meneer Havisham glimlachte bij de gedachte aan die charmante jongen, die de poes voor de haard streelde.

— Het is een mooi kind, maar ik vermoed dat u hem anders zult vinden dan de meeste Engelse jongens.

— Dat verbaast me niets, gromde de graaf. Die Amerikanen zijn een onbeschaafd volkje. Dat heb ik vaak genoeg gehoord.

Meneer Havisham nam een slok van zijn port. Als de graaf in een slecht humeur was sprak hij hem nooit tegen. Na enige ogenblikken begon hij over een ander onderwerp.

— Ik moet u een boodschap overbrengen van mevrouw Errol.

— Van haar heb ik geen boodschappen nodig, mopperde de graaf.

— Maar deze boodschap is erg belangrijk. Ze wil namelijk het inkomen dat u voor haar hebt vastgesteld, niet aannemen.

— Wat zegt u me daar? vroeg de graaf opgewonden.

— Ze denkt dat haar inkomen voldoende is om van te leven. Omdat de verstandhouding tussen u en haar niet vriendschappelijk is, kan ze geen geld

41

van u aanvaarden.

— Vriendschappelijk ! Ik hoop dat het dat nooit wordt. Een inhalige Amerikaanse wil ik niet onder mijn ogen hebben !

— U kunt haar toch niet inhalig noemen, milord. Ze wil het geld dat u haar aanbiedt niet eens hebben.

— Dat is allemaal aanstellerij ! Ze probeert op die manier bij mij in een goed blaadje te komen. Maar daar trap ik niet in. Ze verbeeldt zich zeker dat ik haar kordaatheid zal bewonderen. Ik geef geen cent om die Amerikaanse onafhankelijkheid. Maar ik wil niet dat ze op mijn grond als een bedelares leeft. Ze zàl het geld aannemen, of ze het wil of niet. Per slot van rekening is zij de moeder van mijn kleinzoon en heeft ze een stand op te houden. Het schijnt in haar bedoeling te liggen dat die jongen een slechte dunk van mij krijgt.

— Oh, nee. Ze vraagt zelfs de kleine lord niet te vertellen waarom hij wordt gescheiden van zijn moeder. Hij houdt veel van haar en ze wil niet dat er tussen u en de jongen problemen ontstaan. Ze heeft hem alleen gezegd dat hij de reden van het apart wonen later wel zal horen.

— Wilt u me wijsmaken dat de moeder hem niets heeft verteld ? !

— Zo is het. Het kind ziet in u zelfs een hartelijke en edelmoedige grootvader.

— Echt ?

— Beslist. Maar ik raad u aan niet gering-schattend over zijn moeder te spreken.

— Kom, het ventje is pas acht jaar.

— Maar gedurende die acht jaar is hij altijd met zijn moeder samen geweest. Hij is erg aan haar gehecht.

Hoofdstuk V

HET KASTEEL VAN DORINCOURT

Het was laat in de middag toen het rijtuig waarin de kleine lord Fauntleroy en meneer Havisham zaten, de grote kasteellaan opreed. De graaf had bevolen dat zijn kleinzoon voor etenstijd alleen naar zijn kamer moest komen.

Onder het rijden zat de kleine lord, gemakkelijk tegen de rode zijden kussens geleund, met grote belangstelling rond te kijken. Het rijtuig met de grote, prachtige paarden en het blinkende tuig vond hij schitterend. Bij het instappen had hij gezien dat er een kroontje op de portieren was geschilderd en hij had de palfrenier gevraagd naar de betekenis ervan.

Bij het hek aangekomen zag hij een vriendelijke vrouw met blozende wangen, die uit de met klimop begroeide portierswoning kwam. Twee kinderen kwamen achter haar aan. De vrouw maakte een buiging en de kinderen probeerden haar na te doen.

— Kent die vrouw mij? vroeg lord Fauntleroy.

Hij nam zijn muts af en lachte tegen haar.

— Goedemiddag, zei hij hartelijk.

— God zegene u, uwe lordschap, zei de vrouw. Wees hartelijk welkom in ons midden.

De kleine lord nam weer zijn muts af en knikte. Daarop zei hij tegen meneer Havisham :

— Wat een aardige vrouw is dat. Ik zou graag eens met die kinderen willen spelen.

Meneer Havisham zei maar niet dat Cedric waarschijnlijk nooit toestemming zou krijgen om met de kinderen van de portier te spelen.

Het rijtuig reed verder tussen de rij bomen aan weerskanten van de laan. Nog nooit had Cedric zulke mooie dikke bomen gezien. Hij wist niet dat Dorincourt één van de fraaiste landgoederen van heel Engeland was en dat het park beroemd was om zijn schitterende oude bomen. Wel wist hij dat hij het hier heerlijk vond. Hij was verrukt over de zware breedgetakte eiken en beuken, die groeiden op met blauwe klokjes en varens bezaaide grond. Soms zag hij een konijntje wegschieten in het kreupelhout en dan sprong hij met een kreet van pret overeind.

Nu en dan vlogen er een paar patrijzen op, die met luid vleugelgeklepper in de lucht verdwenen.

— Zoiets moois heb ik nog nooit gezien ! riep hij uit. Het is nog mooier dan het Central Park in New York !

Ondertussen verbaasde hij zich over de afstand van de rit.

— Hoe ver is het eigenlijk ? Ik bedoel van het hek tot aan de voordeur.

— Tussen drie en vier mijl, antwoordde meneer Havisham.

— Ik vind het gek dat je zover van je eigen hek woont, zei hij nadenkend.

Elk ogenblik zag hij iets nieuws dat zijn verbazing en bewondering opwekte. Bij het zien van een roedel grazende herten raakte Cedric opgewonden.

— Is er een beestenspel in de buurt ? informeerde hij. Van wie zijn die herten ?

— Ze zijn altijd hier, zei de advocaat. Ze zijn van je grootvader.

Eindelijk kwam het kasteel in zicht. Op de hoeken stonden grote en kleine torens met schietgaten erin. Voor het terras aan de voorkant van het gebouw zag hij veelkleurige bloembedden en geschoren grasperken.

— Dat is het mooiste huis dat ik ooit gezien heb, stamelde Cedric. Het lijkt wel een sprookjespaleis...

De grote voordeur was open. Cedric zag twee rijen bedienden staan die naar hem keken. Hij begreep niet waarom ze daar zo stonden. Maar hun livreien vond hij prachtig. Dat ze daar speciaal voor hem, de erfgenaam van het domein, stonden, kwam niet in hem op. Eens zou dat sprookjeskasteel met zijn park, zijn eeuwenoude bomen, zijn konijnen en herten van hem zijn. En dan te bedenken dat het nog maar twee weken geleden was dat hij met bungelende benen op de beschuittrommel in de kruidenierszaak van meneer Hobbs zat !

Voor de bediendes stond een oudere vrouw in een zwarte japon. Ze had grijs haar en droeg een muts. Bij het naar binnengaan kwam ze naar meneer Havisham toelopen.

— Dit is lord Fauntleroy, juffrouw Mellon, zei meneer Havisham. Lord Fauntleroy, dit is juffrouw Mellon, de huishoudster van het kasteel.

Cedric gaf haar een hand en vroeg :

— Hebben wij die mooie poes van u gekregen ? Dank u wel, hoor.

Het vriendelijke oude gezicht van juffrouw Mellon begon te stralen.

— Ik zou de lord overal herkend hebben. Hij lijkt sprekend op de kapitein. Dit is een gezegende dag voor ons.

Cedric vroeg zich verbaasd af wat ze bedoelde met die « gezegende dag. » Hij zag dat ze tranen in haar ogen had en toch zag ze er niet verdrietig uit.

— De twee kleintjes van de poes zijn nog hier. Ik zal ze naar de speelkamer van uwe lordschap laten brengen.

Nu was het tijd de jonge lord naar de kamer van zijn grootvader te brengen. Een huisknecht begeleidde Cedric naar de bibliotheek. Hij opende de deur en riep plechtig :

— Lord Fauntleroy, milord !

De man was een eenvoudige bediende, maar hij begreep dat zijn rol op dit moment van groot belang was. Deze kleine jongen die hij aankondigde, zou ooit de titel van graaf krijgen.

Cedric ging een hoog, deftig gemeubileerd vertrek met hoge boekenkasten langs de wanden, binnen. De meubels waren van donker, bewerkt hout. De gordijnen waren zwaar en de vensters met kleine ruitjes lagen zo diep in de nissen, dat alles een sombere indruk maakte. Het eerste ogenblik dacht Cedric dat er niemand in de kamer was, maar toen zijn ogen aan het halfdonker waren gewend, zag hij iemand in een grote armstoel bij de haard zitten. Die iemand keerde zich niet meteen om om naar hem te kijken.

Wel scheen de kleine lord de aandacht van een andere aanwezige getrokken te hebben. Op de grond naast de leunstoel lag een reusachtige dog. Het dier stond op en kwam met langzame stappen op het kereltje af.

— Dougal, kom hier, gebood de man in de stoel. Maar de kleine lord kende geen vrees of onvriendelijkheid. Heel zijn leven was hij een dapper jongetje geweest. Kalm pakte hij het dier bij de halsband en samen liepen ze naar de graaf.

De graaf sloeg zijn ogen op. Cedric zag een oude man met witte haren en wenkbrauwen, een arendsneus en diepliggende, zwarte ogen. De graaf zag, gekleed in een zwartfluwelen pakje, een leuk jongetje met blonde krullen en heldere, vriendelijke ogen. Het hart van de oude graaf werd plotseling vervuld met vreugde, toen hij zag dat zijn kleinzoon een flinke gezonde jongen was, die hem onbevreesd aankeek, terwijl hij daar voor hem stond en zijn hand op de nek van de grote hond lag.

Cedric kwam dichtbij hem staan en keek de man aan zoals hij de vrouw van de portier en de huishoudster had aangekeken.

— Bent u de graaf? vroeg hij. Ik ben uw kleinzoon, die door meneer Havisham uit Amerika is gehaald. Ik ben lord Fauntleroy.

Hij stak, omdat hij dacht dat dat netjes en gepast was, zijn hand uit en vervolgde:

— Hoe gaat het met u? Ik ben blij u te zien.

De graaf gaf hem een hand. Hij was zo verbaasd, dat hij eerst niet wist wat hij moest zeggen.

— Zo, ben je blij me te zien? vroeg hij eindelijk.

— Ja, heel erg blij, antwoordde lord Fauntleroy.

Vlakbij Cedric stond een stoel, waarop hij ging zitten. Het was een hoge zetel met rechte leuning en zijn voeten raakten de grond niet. Toch voelde hij zich volkomen op zijn gemak en hij keek zijn adellijke familielid onafgebroken, maar beslist niet brutaal aan.

— Ik heb er tijdens de reis heel vaak over nagedacht hoe u eruit zou zien. begon hij. Als ik in bed lag stelde ik me voor dat u op mijn vader zou lijken.

— En is dat zo? vroeg de graaf.

— Ik weet het eigenlijk niet goed. Ik was nog heel klein toen hij stierf. Daardoor weet ik niet meer precies hoe hij eruit zag. Maar ik geloof toch niet dat u op hem lijkt.

— Dat vind je zeker erg, hè?

— Oh nee, niet erg, antwoordde de jongen beleefd. Natuurlijk zou iedereen het prettig vinden als hij iemand zag die op zijn vader leek, maar het is heel normaal van je grootouders te houden, zoals ze zijn. Iedereen houdt toch van zijn familie!

De graaf ging achterover in zijn stoel liggen en keek zwijgend voor zich uit. Hij kon moeilijk beweren dat hij wist hoe je met familie moest omgaan. Hij had gekibbeld met zijn familie, hen lelijke woorden naar het hoofd gegooid en ze zelfs het huis uitgejaagd.

— Alle kinderen houden van hun grootvader, ging Cedric verder. Vooral als hij zo goed is als u voor mij bent geweest.

— Zo, zei de man verbaasd, ben ik goed voor jou geweest?

— Nou en of! antwoordde lord Fauntleroy enthousiast. Ik moet u nog bedanken uit naam van Bridget, Dick en het appelvrouwtje!

— Bridget, Dick en het appelvrouwtje! riep de graaf verwonderd uit.

— Ja, natuurlijk, legde Cedric uit. Dat zijn de mensen voor wie ik het geld mocht gebruiken dat u aan meneer Havisham had meegegeven.

— Oh, je bedoelt het geld dat je gebruiken mocht zoals jij het wilde... Vertel me eens, wat heb je daarvoor gekocht?

Hij keek zijn kleinzoon nieuwsgierig aan vanonder zijn borstelige wenkbrauwen. Hij wilde graag weten waarop het kind zichzelf had getrakteerd.

— Oh, u hebt natuurlijk nog nooit gehoord van Dick, Bridget en het appelvrouwtje. Ik vergat dat u zover weg woont. Het zijn mijn vrienden. Michaël was ziek...

— Wie is Michaël nu weer?

— Michaël is de man van Bridget. Ze hadden veel zorgen. Als een man ziek is en niet kan werken en tien kinderen heeft, is het leven niet gemakkelijk. Op de avond dat meneer Havisham bij ons was stond Bridget bij ons in de keuken te huilen, omdat ze de huur niet kon betalen en niets in huis had om te eten. Toen meneer Havisham vertelde dat u hem geld voor mij had gegeven ben ik snel naar Bridget gegaan om haar te geven wat ze nodig had. Daarom ben ik u zo dankbaar.

— Zo, zo, zei de graaf. Was dat één van de dingen die je voor jezelf hebt gedaan?... En wat nog meer?

Dougal was naast de grote stoel gaan zitten waarop Cedric zat. Regelmatig had hij zijn kop opgeheven en de jongen aangekeken alsof hij belangstelde in het gesprek. De graaf kende Dougal heel goed en had hem stilzwijgend aangekeken. De hond was niet zo snel vertrouwelijk met iemand. Het verbaasde hem daarom dat het anders zo schuwe dier het toeliet dat Cedrics hand op zijn kop rustte. Even later legde Dougal zijn kop zelfs op de zwartfluwelen knie van de kleine lord.

— En dan is er Dick. Dat is echt een geweldige kerel.

— Wat bedoel je met een geweldige kerel?

— Het betekent dat hij nooit iemand zal bedriegen, of een jongen slaan die kleiner is dan hijzelf. Hij poetst de schoenen van zijn klanten tot ze glimmen. Hij is schoenpoetser van beroep.

— Is hij echt één van je vrienden?

— Hij is een vriend, maar niet zo'n oude als meneer Hobbs. Toch is hij al oud. Net voor de boot vertrok kwam hij me nog een cadeautje brengen.

Bij die woorden stak hij zijn hand in zijn zak en haalde er trots de rode halsdoek uit.

— Dit heb ik van hem gekregen. Hij kocht hem van het eerste geld dat hij had verdiend, nadat ik Jack had afgekocht en Dick nieuwe borstels had gegeven. In het horloge van meneer Hobbs heb ik iets laten schrijven, zodat hij me niet vergeet. Zo vaak als ik deze halsdoek zie, zal ik aan Dick denken.

De oude graaf zat verbijsterd naar zijn kleinzoon te luisteren. Over het algemeen was hij niet erg gek op kinderen. Zelfs zijn zonen hadden hem, toen ze klein waren, weinig geïnteresseerd. Hij vond kinderen kleine egoïstische monstertjes, die veel lawaai maakten en met ijzeren vuist opgevoed moesten worden. Het was zelfs niet in hem opgekomen dat hij van zijn kleinzoon zou kunnen houden. Hij had de kleine Cedric alleen uit Amerika laten halen, omdat zijn trots van edelman hem daartoe dwong. Cedric moest hem immers later opvolgen... Hij was ervan overtuigd dat er niets van hem terecht zou komen als hij in Amerika werd opgevoed.

Toen de huisknecht de kleine lord aandiende,

had hij niet durven opkijken. Maar hoe blij was hij toen hij een aardige, flinke kerel zag. Nooit had hij durven hopen dat zijn kleinzoon er zo zou uitzien.

Nadat ze samen hadden gesproken waren zijn ontroering en verbazing alleen maar groter geworden. Wat een intelligent kereltje was dat! De graaf merkte natuurlijk heel goed dat Cedric hem als vriend beschouwde en vast in zijn goedheid geloofde. Het was heerlijk eindelijk eens iemand te ontmoeten die hem niet wantrouwde.

De graaf van Dorincourt zat achterovergeleund in zijn stoel te luisteren naar het gebabbel van de kleine lord en moedigde hem aan nog meer te vertellen. Cedric vertelde zijn grootvader alles over Dick, Jack, het appelvrouwtje en meneer Hobbs. Hij vertelde ook van het feest ter ere van de president. Al vertellende kwam hij bij de vierde juli, het grote nationale feest en de onafhankelijkheidsopstand. Toen brak hij plotseling zijn verhaal af.

— Wat is er? vroeg de graaf. Waarom vertel je niet verder?

De kleine lord schoof verlegen op zijn stoel heen en weer.

— Het schoot me te binnen dat u het misschien niet prettig vindt daar iets over te horen. Ik vergat dat u een Engelsman bent.

— Vertel maar rustig verder. Niemand van mijn familie is er bij geweest, maar je vergeet dat je zelf een Engelsman bent.

— Welnee, riep Cedric uit. Ik ben Amerikaan!

— Je bent Engelsman, zei de graaf bars, net

als je vader.

Cedric vond die uitspraak allesbehalve leuk. Hij voelde dat hij een kleur kreeg.

— Ik wil u niet tegenspreken, zei hij verontschuldigend, maar ik ben in Amerika geboren.

Iemand die in Amerika is geboren is een Amerikaan. Meneer Hobbs zou zeker vertellen dat ik, als er weer een oorlog tussen Engeland en Amerika zou zijn, de kant van de Amerikanen moet kiezen.

De graaf lachte kort en grimmig, maar hij lachte. Hij vond dat jonge patriottisme wel amusant. Per slot van rekening kon iemand die een goede Amerikaan was ook een goede Engelsman worden. De rest van het gesprek over Amerika en de oorlog bleef daar steken, want de huisknecht kwam aankondigen dat de maaltijd opgediend was.

Cedric liet zich van zijn stoel afglijden en keek naar de pijnlijke voet van zijn grootvader, die op een kussen rustte.

— Kan ik u misschien helpen? vroeg hij. Toen meneer Hobbs een vat zeep op zijn voet had gekregen, leunde hij op mij.

De lange huisknecht moest even een lach onderdrukken. Lachen gaf geen pas voor een huisknecht die bij de hoogste families in dienst was, maar nu kon hij het niet laten. Om de lach te verbergen keek hij over het hoofd van de graaf heen naar een schilderij aan de wand.

— Denk je dat je dat zou kunnen? vroeg de graaf.

— Nou en of, antwoordde Cedric. U kunt aan de ene kant op mij en aan de andere kant op uw stok leunen. Dick zegt dat ik voor een jongen van mijn leeftijd veel spierkracht heb.

— Goed, zei de graaf. We proberen het.

Cedric gaf hem zijn stok en hielp hem op te staan. Meestal was dat het werk van de huisknecht en die moest dan heel wat verwensingen en ruwe woorden horen. Maar vandaag kwam er geen bars woord over zijn lippen, hoewel zijn voet nog meer pijn deed dan gewoonlijk. Langzaam stond hij op en legde een hand op de smalle schouder.

— Leun maar gerust, zei Cedric. Ik zal heel langzaam lopen.

Wanneer de huisknecht naast hem had gelopen zou de graaf meer op hem dan op zijn stok hebben geleund, maar nu steunde hij zoveel hij kon op zijn stok. Toch drukte de hand nog zwaar genoeg op Cedrics schouder. Zijn gezicht werd rood van inspanning.

— Leun maar gerust, herhaalde hij hijgend. Ik houd het best vol.

Aan opgeven dacht hij niet.

— Doet uw voet... erg pijn... als u erop staat? U moet hem eens in warm water met mosterd steken, dat doet meneer Hobbs ook altijd. Arnica... moet ook goed helpen.

Eindelijk kwamen ze, gevolgd door de hond en de huisknecht, in de eetzaal aan. Alles in deze zaal was groot. De huisknecht bleef bij de stoel van de graaf staan, die heel voorzichtig ging zitten. Cedric haalde de rode halsdoek te voorschijn en veegde zijn gezicht droog.

— Dat heb je flink gedaan, zei de graaf.

— Oh, maar daar komt het niet door... Het is vanavond erg warm.

Zijn stoel stond aan de andere kant van de tafel tegenover die van zijn grootvader. Het was een grote bewerkte armstoel, waarin een veel groter persoon dan hij kon zitten. Toch wond hij zich daar niet over op. Alles leek hier erg groot te zijn.

De maaltijd was voor de graaf altijd een belangrijke zaak. De tafel stond vol grote borden, schotels en glaswerk, afgewisseld met vazen bloemen. Het geheel bood een aardig tafereel: aan de ene kant van de tafel de barse oude edelman, aan de andere kant een kleine vrolijke jongen.

De kok wist nooit van tevoren of het eten zijn heer zou smaken, maar vandaag had de graaf blijkbaar meer eetlust dan gewoonlijk. Misschien kwam dat wel omdat hij nu iets anders had om over na te denken, in plaats van zich druk te maken over het voedsel. Zijn kleinzoon hield zijn gedachten bezig. Voortdurend keek hij de jongen aan. Hij sprak zelf niet veel, maar wist Cedric aan het praten te houden. Hij had nooit gedacht dat hij ooit nog eens met genoegen naar kinderlijk gebabbel zou luisteren.

— Draagt u uw kroontje niet altijd? vroeg Cedric.

— Nee, het staat me niet goed, lachte de graaf.

— Meneer Hobbs zei eerst dat u hem altijd op had, maar later bedacht hij zich en dacht hij dat

57

het niet kon, omdat u dan uw hoed niet op kon zetten.

— Ja, ik zet hem nu en dan af.

Eén van de andere huisknechten draaide zich om en kuchte discreet.

Nadat Cedric genoeg gegeten had, keek hij op zijn gemak de eetzaal rond.

— U bent zeker wel trots op uw huis, zei hij tegen de graaf. Ik heb nog nooit zoiets moois gezien, maar het is wel groot voor twee mensen.

— Vind je het te groot?

— Oh, nee. Maar als er twee mensen woonden die elkaar niet mochten, zouden ze zich eenzaam voelen.

— Denk je dat wij het samen goed zullen kunnen vinden? vroeg de graaf.

— Dat denk ik wel. Meneer Hobbs en ik waren ook zulke goede vrienden. Na Liefste was hij mijn beste vriend.

— Wie is Liefste? vroeg de graaf, terwijl hij zijn borstelige wenkbrauwen optrok.

— Dat is mijn moeder, antwoordde lord Fauntleroy zacht.

De graaf zweeg en keek voor zich uit. Ook Cedric zweeg. Hij dacht aan zijn moeder en zijn gezicht stond ernstig, maar hij hield zich dapper.

Na een tijdje stond de graaf op. Ditmaal hielp de huisknecht hem naar de bibliotheek. Cedric en Dougal volgden.

Toen de graaf voorzichtig in zijn stoel was gaan zitten, kroop Cedric naast de hond op het haardkleed. Hij streelde Dougal en bleef stil in het vuur staren. De graaf sloeg hem een poosje gade en vroeg toen :

— Fauntleroy, waar denk je aan ?

Cedric keek op en deed zijn best om te glimlachen.

— Aan Liefste, zei hij toen. Ik geloof dat ik een beetje heen en weer ga wandelen.

Hij stond op en begon op en neer te lopen door de kamer. De hond volgde hem met de ogen, stond na een tijdje op en liep zijn nieuwe vriendje achterna.

— Wat is die Dougal een goede hond, zei Cedric. Hij is nu al mijn vriend. Hij begrijpt wat ik voel.

— Wat voel je dan ? vroeg de graaf. Kom eens hier.

Cedric kwam naast hem staan.

— Ik ben nog nooit van huis geweest, zei hij zacht. Het is een raar gevoel als je de hele nacht doorbrengt in andermans kasteel, in plaats van in je eigen huis. Maar Liefste is gelukkig niet ver... en ik ben al acht... Ze heeft gezegd dat ik aan haar denken moet. Ik kan haar portret bekijken dat ze me gegeven heeft.

Hij stak een hand in zijn zak en haalde er een medaillon uit.

— Hier is het. Kijk, je moet op dit knopje drukken, dan springt het open en kan ik naar haar kijken.

Hij was dichtbij de stoel gaan staan en hield zijn grootvader het portret onder de neus.

De graaf fronste zijn voorhoofd. Hij wilde het portretje liever niet zien, maar keek er toch tegen wil en dank naar. Hij zag een vriendelijk en beschaafd vrouwengezicht. Het kind was het evenbeeld van zijn moeder. De graaf was er van ondersteboven.

— Je houdt zeker heel veel van haar, hè? vroeg hij met een scherpe klank in zijn stem.

Maar Cedric merkte het niet.

— Natuurlijk, antwoordde hij. Nog veel meer dan van Dick, meneer Hobbs, Bridget en Mary. Liefste is mijn allerbeste vriendin en we vertellen elkaar altijd alles. Mijn vader heeft haar aan mij overgelaten. Als ik groot ben ga ik hard werken om geld voor haar te verdienen.

— En wat ga je dan doen? vroeg zijn grootvader.

De kleine lord ging met het portretje in zijn hand op het haardkleed zitten. Hij scheen ernstig na te denken.

— Misschien kan ik bij meneer Hobbs in de zaak komen, maar nog liever zou ik president worden.

— We zullen je naar het Hogerhuis sturen, zei de graaf.

— Als dat een goede betrekking is heb ik er niets op tegen. Een kruidenier heeft het ook niet altijd even prettig.

Hij zweeg en bleef in het vuur staren. Misschien wilde hij over die moeilijke zaak nog eens nadenken. Ook de graaf zweeg.

Dougal had zich uitgestrekt voor het vuur en was met de kop op de voorpoten ingeslapen. Lange tijd bleef het stil.

Ongeveer een half uur later werd meneer

Havisham aangediend. In de kamer waar hij binnenkwam was geen geluid te horen. De graaf leunde nog steeds achterover in zijn stoel. Toen de advocaat dichterbij kwam, stak de graaf zijn hand op om de man te waarschuwen geen geluid te maken. Dougal sliep nog steeds voor het vuur en naast de grote hond, met het hoofd tegen de ruige vacht, lag de kleine lord Fauntleroy, die naar dromenland was gereisd.

Hoofdstuk VI

DE GRAAF EN ZIJN KLEINZOON

Toen lord Fauntleroy de volgende ochtend wakker werd, scheen het zonnetje. Hij had de vorige avond niet gemerkt dat Thomas, de lange huisknecht, hem naar bed had gedragen. Hij wreef zijn ogen uit en hoorde dat er zacht werd gesproken.

— Daar moet je niet over praten, Dawson. Hij weet niet waarom hij niet bij haar woont en hij mag het niet te weten komen.

— Ik zal doen wat de graaf van me verlangt, maar we zijn nu onder ons en het spijt me te moeten zeggen dat ik het een schandaal vind om een jonge weduwe te scheiden van haar kind. Bovendien is het een prachtig jongetje met edele trekken en het karakter van een engeltje. Een heel ander kind dan de anderen, bij wie je de haren te berge rijzen. Gisteren, toen hij naar bed werd gebracht, zag hij eruit om te knuffelen. Thomas heeft hem in zijn armen genomen, het wangetje van het knulletje lag tegen zijn schouder en de graaf zei zelfs: « Kijk uit dat je hem niet wakker maakt. »

Cedric kon het gefluister niet verstaan. Hij kwam overeind en zag twee vrouwen in zijn gezellig en vrolijk ingerichte kamer. Het vuur in de haard was aangestoken. Eén van de vrouwen kwam naar hem toe. Het was juffrouw Mellon, de huishoudster.

— Goedemorgen milord, zei ze. Hebt u goed geslapen?

— Goedemorgen, juffrouw Mellon, antwoorddde Cedric. Ik wist even niet waar ik was.

— U sliep gisteravond en toen bent u naar boven gedragen. Dit is Dawson, die voor u gaat zorgen.

Cedric stak zijn hand uit.

— Hoe gaat het met u, juffrouw? Het is heel vriendelijk van u dat u voor me wilt zorgen..

— U kunt haar gewoon Dawson noemen, milord, zei de huishoudster.

— Juffrouw, of mevrouw Dawson?

— Nee, alleen maar Dawson, antwoordde Dawson zelf. Wilt u opstaan en u laten aankleden en dan in de kinderkamer gaan ontbijten?

— Oh, maar ik kan mezelf wel aankleden. Ik kan me ook wassen, maar dan moet u wel kijken of ik goed schoon ben. Dat heeft Liefste me geleerd.

Juffrouw Mellon en Dawson keken elkaar even aan.

— Dawson helpt u wanneer u haar nodig hebt, zei juffrouw Mellon.

— Natuurlijk, bevestigde Dawson. Als ik iets kan doen, zegt u het maar.

— Dank u wel, antwoordde Cedric. De knopen gaan soms heel moeilijk en dan moet ik iemand vragen me daarmee te helpen.

Cedric babbelde onder het aankleden en het wassen en al snel wist hij heel wat van Dawson. Haar man was soldaat geweest en in een gevecht gesneuveld. Haar zoon was matroos en hij had zeerovers, menseneters, Chinezen en Turken gezien. Hij had van zijn reizen allerlei souvenirs meegebracht en als Cedric wilde mocht hij die binnenkort bekijken.

Voor het ontbijt moest hij naar de grote kamer naast zijn slaapkamer. Tot zijn verbazing zag hij dat daarnaast nog een kamer was, die volgens Dawson ook voor hem was bestemd.

— Ik ben toch eigenlijk veel te klein om in zo'n groot kasteel te wonen en zoveel kamers te hebben, zuchtte Cedric.

— Och kom, zei Dawson vriendelijk. Het went snel genoeg. Het is een prachtig kasteel.

— Ja, het is hier allemaal heel mooi, gaf Cedric toe, maar ik zou alles veel leuker vinden als ik Liefste niet zo miste. We gebruikten altijd samen het ontbijt en ik mocht altijd suiker en melk in haar thee doen en haar het brood aangeven. Dat is veel gezelliger

65

dan alleen ontbijten.

— Maar u mag toch iedere dag naar haar toe? U zult eens zien hoeveel u haar te vertellen hebt. Wacht maar, straks gaan we de honden en paarden bekijken.

— Oh, ja ? Ik houd veel van paarden. Ik was gek op Jim, het paard van meneer Hobbs.

— Mooi ! Kijk straks dan maar eens goed wat hier in de stallen staat. Oh, lieve deugd... U hebt nog niet eens gezien wat in de andere kamer staat.

Cedric werd nieuwsgierig en at zo vlug als hij kon. Daarna liet hij zich van zijn stoel glijden. Dawson ging hem voor en deed de deur van de volgende kamer open. Cedric bleef op de drempel staan. Hij zei niets, maar zijn wangen werden rood van opwinding. Deze grote kamer was voor Cedric nog mooier dan de andere. Er hingen vrolijke gordijnen en de meubels waren minder zwaar dan beneden. Op de tafel en de grond stond allerlei speelgoed en de kasten langs de muren waren gevuld met platen- en verhalenboeken.

— Wat een prachtige kamer ! riep hij uit. Van wie is dat speelgoed?

— Dat is voor u. Ga er maar vlug naar kijken.

— Voor mij ? Allemaal voor mij ? Wie heeft me dat gegeven ?

Hij sprong naar voren om al dat moois eens goed te bekijken.

— Ha, ik weet het al. Het komt van grootvader. Ik wed dat hij het is.

— Dat hebt u goed geraden, antwoordde

Dawson. Als lord Fauntleroy niet meer verdrietig is, maar de hele dag opgewekt en tevreden, mag hij alles van grootvader hebben wat hij wil.

De ochtend ging als een droom voorbij. Cedric liet al het speelgoed door zijn handen gaan en dacht eraan dat het zelfs voor zijn vertrek uit New York allemaal al voor hem had klaargestaan.

— Niemand heeft zo'n goede grootvader als ik ! riep hij opgewonden.

Dawson gaf geen antwoord. Ze was nog niet zolang op het kasteel, maar net als de andere bedienden vond ze de oude graaf zeurderig en hooghartig. Thomas, de lange huisknecht, had zelfs gezegd dat hij nog nooit bij zo'n boosaardige driftige man in dienst was geweest. Van dezelfde knecht had ze ook gehoord dat de graaf tegen meneer Havisham had gezegd, toen Cedrics kamer in orde gebracht moest worden :

— Geef hem prachtig speelgoed en mooie boeken, dan zal hij zijn moeder snel genoeg vergeten. Zo zijn kinderen.

Maar de graaf wist niet veel van kinderen af en deze jongen was in elk geval heel anders dan hij gedacht had. Die nacht had zijn voet meer pijn gedaan dan gewoonlijk. Hij had slecht geslapen en was de hele ochtend in zijn kamer gebleven. Pas tegen de middag liet hij Cedric bij zich komen. Hij hoorde al snel de kleine lord van de trap springen en door de gang draven. De deur ging open en de jongen kwam met rode wangen en glinsterende ogen binnen.

— Ik dacht wel dat ik geroepen zou worden. Ik was allang klaar. Ik dank u voor al het mooie speelgoed. Ik heb er de hele morgen mee gespeeld.

— Zo, zei de graaf.

Is het naar je zin?

— Oh, ja. Het is prachtig! Ik kan u niet vertellen hoe mooi ik het vind. Er was ook een spel bij dat je moet spelen op een bord met zwarte en witte pionnetjes en er horen ballen bij. Ik heb geprobeerd het Dawson uit te leggen, maar ze begreep het niet. Maar misschien komt het doordat het spel op baseball lijkt. Weet u iets af van baseball?

— Ik ben bang van niet. Het is een Amerikaans spel, dat een beetje lijkt op cricket, nietwaar?

— Cricket heb ik nooit gezien, maar meneer Hobbs heeft me een paar keer meegenomen naar een baseballwedstrijd. Zal ik het spel eens halen om het u te laten zien? Misschien dat u het zo leuk vindt dat u de pijn in uw voet vergeet. Doet die vandaag erg zeer?

— Ja, nogal.

— Dan zal u de pijn misschien toch niet kunnen vergeten. Wat denkt u, zal ik u het spel uitleggen?

— Ga het maar halen, antwoordde de graaf.

Het was wel heel erg ongewoon voor hem dat een klein jongetje hem een spel wilde leren. Maar juist het nieuwe en ongewone ervan trokken hem aan. Er kwam een glimlach op zijn gezicht, toen Cedric even later binnenkwam met de doos onder zijn arm.

— Mag ik dit tafeltje wat dichterbij uw stoel schuiven? vroeg hij.

— Ga je gang maar.

Cedric schoof het tafeltje bij de stoel, nam het spel uit de doos en zette het op.

— Als je het begrijpt, is het heel leuk, zei Cedric. Kijk, de zwarte pionnen zijn voor u en de witte zijn voor mij. Die stellen mannetjes voor. Eenmaal het veld rond telt voor één punt en dit is een dubbele toer, die telt voor twee. Hier is uit!

Wanneer iemand hem een week geleden had voorspeld dat hij zijn jicht en zijn slechte humeur zou vergeten door een spel met een jongetje in een fluwelen pakje te spelen, zou hij waarschijnlijk minachtend hebben geantwoord. Toch was hij helemaal in het spel verdiept, toen de deur werd geopend en er een bezoeker werd aangekondigd.

De bezoeker, de dominee van het dorpje Dorincourt, was zo verbaasd door het ongewone tafereel, dat hij een stap achteruit deed en bijna tegen Thomas opbotste.

Er was geen plicht, aan zijn ambt verbonden, die de eerwaarde Mordaunt zo tegenstond, als de gedwongen bezoeken die hij moest afleggen bij de graaf. De edelman had een afkeer van kerkelijke zaken en de zorg voor armen. De graaf vond dat hij niet verplicht was anderen te helpen. Hij kon zich vreselijk driftig maken als één van zijn pachters de vrijheid nam problemen te hebben of ziek te zijn. Nog nooit had de eerwaarde Mordaunt de graaf een edelmoedig gebaar zien maken. De man dacht alleen maar aan zichzelf.

In het dorp werd de graaf gezien als een vrek en

69

het verhaal van zijn zoon die in Amerika was gestorven, zijn kleinzoon en de jonge weduwe, deed als een lopend vuurtje de ronde. Men had medelijden met het kind, omdat men wist dat de graaf dacht dat het een onbeleefde Amerikaanse jongen was, waarvan hij niets had te verwachten. De eerwaarde Mordaunt was ervan op de hoogte dat de jongen de vorige dag was aangekomen. Met lood in zijn schoenen was hij naar het kasteel gegaan, bang dat de graaf zijn teleurstelling over zijn kleinzoon zou afreageren op de eerste de beste bezoeker. Het was dus geen wonder dat de dominee heel verbaasd was toen hij bij het opengaan van de kamerdeur een vrolijk stemmetje hoorde roepen :

— Twee gewonnen ! Twee gewonnen !

De graaf zat in zijn stoel, terwijl zijn voet op een bankje rustte. Voor hem stond een tafeltje met een spel. Voor de oude man zat een vrolijk kind, dat één hand liet rusten op de knie van het gezonde been van de graaf.

— Twee gewonnen ! riep de kleine speler nog eens. Ik heb meer geluk dan u !

Toen pas merkten beiden dat er iemand was binnengekomen.

De graaf fronste dadelijk zijn borstelige wenkbrauwen, toen hij zag dat het dominee Mordaunt was. Toch zag de oude man er niet zo grimmig uit als anders. Het leek wel of hij iets van zijn barsheid had verloren.

— Aha, zei hij, zijn hand uitstekend. Goedemiddag, Mordaunt ! Zoals u ziet heb ik nieuwe bezigheden gevonden!

Daarop duwde hij met een trots gebaar de jongen naar voren.

— Ik wil u graag voorstellen aan de nieuwe lord Fauntleroy. Fauntleroy, dit is meneer Mordaunt, de dominee van ons dorp.

— Aangenaam kennis te maken, meneer, zei Cedric en gaf de in het zwart geklede dominee een hand.

Hij herinnerde zich dat je tegen een dominee zo deftig mogelijk moest spreken.

Dominee Mordaunt hield het kleine handje een ogenblik vast en keek het ventje glimlachend aan. Hij was niet alleen onder de indruk van het mooie gezichtje, maar vooral door de beleefde en eerlijke indruk die het kind maakte. De graaf was hij helemaal vergeten. Hij bedacht dat er op deze wereld geen grotere kracht was dan een oprecht hart. Dit kind maakte alleen al door zijn aanwezigheid de hele sfeer vrolijker.

— Ik ben ook blij dat ik kennis met je mag maken. Je hebt een verre reis gemaakt om hier te komen, hè?

— Ja, het was een verre reis, maar dat was niet erg, want Liefste, mijn moeder, was er ook. Als zij er is verveel ik me nooit.

De graaf nodigde de eerwaarde Mordaunt uit te gaan zitten.

— Wat brengt u hierheen? Wat is er vandaag aan de hand? Wie zit er nu weer in nood?

— Het gaat om Higgins, milord. Higgins van

de Randhoeve. Vorige herfst is hijzelf erg lang ziek geweest en later kregen zijn kinderen roodvonk. De opkomst van zijn koren is vreselijk tegengevallen en nu is hij met alles achteropgeraakt. Hij zit vreselijk in angst over de huur. Newick zegt dat hij van de boerderij af moet als hij niet betaalt. Dat zou het ergste zijn wat hem kan overkomen. Nu is zijn vrouw ook nog ziek geworden. Gisteren kwam hij mij vragen of ik u wilde verzoeken hem uitstel te geven. Hij hoopt de schade weer in te kunnen halen.

— Dat zeggen ze altijd, bromde de graaf.

Cedric, die weer bij het spel was komen staan, schoof een eindje naar voren.

— Hij maakt zich erg ongerust, ging de dominee verder. Als hij de boerderij kwijtraakt heeft zijn gezin niets meer te eten. Twee van zijn kinderen zijn na de ziekte erg zwak gebleven. De dokter schrijft versterkende middelen voor, maar die kan hij niet betalen.

— Dat was net als met Michaël, zei de kleine lord ineens.

De graaf scheen te schrikken.

— Ik vergat dat er een weldoener in deze kamer is. Wie was Michaël ook alweer?

— De man van Bridget. Hij was ziek, weet u nog wel? Hij kon de huur niet betalen en ook geen goed eten kopen en toen hebt u mij geld gegeven om hem te helpen.

De graaf kuchte.

— Ik weet niet wat voor soort landheer hij later zal worden. Hij heeft het geld dat Havisham bij zich

72

had, aan de armen gegeven.

Toen kreeg de graaf een inval.

— Wat zou jij in zo'n geval doen? vroeg hij.

Cedric legde zijn hand op grootvaders knie.

— Als ik rijk was, zou ik hem laten blijven en hem geven wat hij voor zijn kinderen nodig heeft. U kunt alles, nietwaar?

— Zo, zou je denken?

— U kunt toch iedereen alles geven? vroeg Cedric. Wie is Newick?

— Mijn opzichter. Hij moet onder andere bij de pachters de huur ophalen.

— Kunt u hem geen brief schrijven? stelde Cedric voor. Ik zal wel een pen, inkt en een vel papier voor u halen.

— Goed dan. Haal het spel maar van tafel. Kun jij schrijven?

— Jawel, maar niet erg mooi.

— Dat hindert niet. Ga zitten, dan kun je gaan schrijven.

— Ik? riep Cedric, terwijl hij een kleur kreeg. Maar ik maak nog vaak fouten!

— Higgins kijkt niet naar fouten. Ik ben geen weldoener, jij wel. Doop je pen maar in de inkt.

— Wat zal ik schrijven?

— Schrijf maar « Higgins mag voorlopig niet worden lastiggevallen » en onderteken met « lord Fauntleroy. »

Cedric doopte de pen in de inkt en begon te schrijven. Het was een moeilijk en langdurig werkje, maar hij deed zijn uiterste best.

Eindelijk gaf hij de brief aan zijn grootvader, die hem glimlachend las en daarna overhandigde aan dominee Mordaunt.

In de brief stond :

« Waarde meneer Newick,
Wil u asjeblieft higgins voorlopig niet lastig vallen dit vraagt
met agting

Fauntleroy »

— Ik dacht dat ik er beter « asjeblieft » bij kon zetten. Heb ik alle woorden goed geschreven ?

— Er zitten een paar fouten in, antwoordde de graaf.

— Dan zal ik het overschrijven.

Dominee Mordaunt nam een keurige brief mee, maar dat was niet alles... Hij nam ook een warm gevoel van genegenheid voor de lord mee.

Toen hij weg was vroeg Cedric :

— Mag ik nu naar Liefste gaan ?

— Ga eerst maar eens kijken wat er voor je in de stal staat.

— Als u het niet erg vindt, wil ik het liever morgen zien. Liefste zit vast op me te wachten.

— Het is een pony, zei de graaf koel.

— Een pony ? Van wie is die pony ?

— Van jou. Wil je hem niet zien ?

— Ik zou hem dolgraag willen zien. Zo graag, dat ik haast niet kan wachten. Maar ik ben bang dat daar geen tijd voor is.

— Kun je het bezoek aan je moeder niet uitstellen tot morgen ?

— Nee. Ze heeft vast de hele morgen aan me gedacht, net zoals ik aan haar heb gedacht.

— Zo, zei de graaf... Nu... bel dan maar om ze het rijtuig te laten inspannen.

Al snel daarop reden ze door de laan. Cedric stelde duizend en één vragen over de pony.

— Liefste zal zo blij zijn als ze weet dat u zo goed voor me bent. Niemand ter wereld is zo goed als u. U doet iedereen een plezier en denkt altijd aan anderen. Liefste zegt dat het de beste manier is om goed te zijn. U maakt veel mensen gelukkig.

Hij telde op zijn vingers.

— Het zijn er zevenentwintig : Bridget, haar man en haar kinderen, Dick, meneer Hobbs, meneer Higgins, zijn vrouw en de kinderen en dominee Mordaunt.

— Heb ik al die mensen gelukkig gemaakt ?

Het was een vreemde ervaring te horen hoe een klein ventje zijn egoïstische gedachten omtoverde in edelmoedige bedoelingen.

— Ja, natuurlijk ! Sommige mensen denken helemaal verkeerd over graven. Meneer Hobbs bijvoorbeeld. Maar ik zal hem schrijven dat ik later net zo wil worden als u.

— Net als ik, herhaalde de graaf zacht.

Er trok een vaalrode kleur over zijn rimpelige gezicht. Hij draaide zijn hoofd om en keek uit het portierraampje naar buiten. Hij dacht na over zijn lange leven zonder goede daden. Hij dacht aan de tijd dat hij nog sterk en krachtig was en zijn macht en rijkdom alleen gebruikte voor zijn eigen genoegens. Nu was hij oud en gebrekkig en leefde hij eenzaam en verlaten in zijn prachtige kasteel. Hij wist dat er in al de woningen die op zijn bezittingen stonden, geen mens was die hem goed zou noemen, zoals dat kleine jongetje naast hem. Hij wist dat hij werd gehaat en gevreesd.

Cedric dacht dat de graaf, toen hij met gefronste wenkbrauwen naar buiten keek, pijn had aan zijn voet. Om de man niet te storen, bleef hij stil in een hoekje zitten. Al snel zag hij Court Lodge.

— Leun bij het uitstappen maar op mij, zei Cedric.

— Ik ga er niet uit, antwoordde de graaf.

— Wilt u Liefste niet zien? vroeg de kleine lord verbaasd.

— Vertel haar maar dat je een pony hebt gekregen en dat die je zelfs niet kon weerhouden naar haar toe te gaan.

— Ze zal teleurgesteld zijn, zei Cedric.

— Ik denk het niet, gromde de graaf.

Cedric holde naar de openstaande deur van het huis. De graaf zag nog net dat een in het zwart geklede vrouw het ventje opving in haar armen.

Hoofdstuk VII

IN DE KERK

De volgende dag was de dorpskerk helemaal bezet.
Dominee Mordaunt kon zich niet herinneren ooit
zo'n talrijk gehoor te hebben gehad. Er waren zelfs
mensen uit de omliggende plaatsen naar Dorincourt
gekomen. Men zag er door de zon gebruinde
pachters, blozende boerinnen met sierlijk gepluimde
hoeden en veel kinderen. De vrouw van de dokter
was er met haar dochters en de drogist en zijn vrouw.
Juffrouw Dibble zat in haar bank naast juffrouw
Smith, de modiste en juffrouw Perkins, de naaister.
Kortom, ieder die zich maar even vrij had kunnen
maken, was er. Er was in de afgelopen week heel

wat gebabbeld in het dorp en de kleine lord was het onderwerp van de meeste gesprekken geweest. Het was doorlopend druk geweest in de winkel van juffrouw Dibble. Omdat zij een zus was van één van de dienstboden van het kasteel, was ze op de hoogte van de laatste berichten. Ze wist hoe de kamers van de kleine lord waren ingericht en wat voor soort speelgoed er stond. Ze wist ook dat er in de stal een pony met een karretje voor de jongen stond, zodat hij ritjes door het park kon maken. Er was speciaal iemand aangesteld om voor het dier te zorgen. Ze was op de hoogte van alles wat de dienstboden op de dag van zijn aankomst hadden gezegd en ook had ze gehoord dat de vrouwen het een schandaal vonden dat zo'n klein kereltje werd gescheiden van zijn moeder. Het knulletje was heel alleen de bibliotheek van zijn grootvader binnengegaan. Het was alleen jammer dat ze er naar moest raden hoe hij daar ontvangen was.

— Weet je, had ze tegen één van haar klanten gezegd, dat knulletje weet niet wat angst betekent. Thomas de huisbediende heeft het me zelf verteld. De jongen begon meteen met de graaf te praten, alsof hij hem al zijn hele leven kende. Thomas denkt dat de graaf, ondanks zijn altijd zo slechte humeur, tevreden is over zijn kleinzoon. Het kind ziet er schattig uit en heeft goede manieren.

Bovendien had dominee Mordaunt aan tafel gesproken over de geschiedenis van Higgins. Zijn dienstmeisje had het verhaal in het dorp rondverteld. Higgins werd bestormd met vragen en Newick had een paar uitverkorenen de brief van lord Fauntleroy laten lezen. Er was in het dorp dus heel wat te praten geweest en iedereen was nieuwsgierig om zondag in de kerk de toekomstige eigenaar van de landerijen te zien.

De graaf was geen trouwe kerkganger, maar nu zat hij met zijn kleinzoon in de deftige familiebank.

Op het kerkplein stonden al vroeg in de morgen heel wat mensen te wachten. Ze waren druk aan het praten, toen iemand zei :

— Kijk, die dame is zeker zijn moeder. Wat is ze mooi !

Allen keken naar de in het zwart geklede dame. Haar gezicht ging half schuil onder een voile.

Mevrouw Errols gedachten waren bij Cedric. Maar plotseling merkte ze dat ze in het middelpunt van de belangstelling stond. Een oude vrouw met rode omslagdoek maakte een buiging.

— God zegene u, milady.

De mannen namen beleefd hun petten af. En toen pas begreep ze dat ze dit deden omdat zij de moeder van lord Fauntleroy was.

Nauwelijks was mevrouw Errol in de kerk, of een rijtuig van het kasteel met prachtige paarden ervoor, kwam aanrijden.

— Daar komen ze aan ! klonk het van verschillende kanten.

Thomas klom van de bok en opende het portier, waarna een kleine jongen met een schitterende krullenbol, in een zwart fluwelen pakje, uit het rijtuig sprong.

— Sprekend de kapitein toen hij klein was, mompelden een paar pachters.

Ondertussen bood Cedric zijn schouder aan, zodat de graaf uit kon stappen. Het was duidelijk dat hij helemaal niet bang was voor de oude man.

— Leun maar op mij, hoorden ze Cedric zeggen. Wat zijn de mensen blij u te zien!

— Neem je baret af, Fauntleroy, zei de graaf, de mensen groeten jou.

De kleine jongen nam zijn fluwelen baret af en groette vriendelijk terug.

— God zegene uwe lordschap, zei het vrouwtje met de rode omslagdoek. Moge uw leven lang en gelukkig zijn.

— Dank je wel, vrouwtje, antwoordde Cedric.

In de kerk rustten alle ogen op hem.

Fauntleroy deed twee aangename ontdekkingen. Recht tegenover hem, aan de andere kant van de kerk, zag hij zijn moeder zitten, die naar hem lachte. En dichtbij de bank waar hij zat, zag hij twee in steen uitgehouwen, met de gezichten naar elkaar toegewende, knielende gestalten. Ze hielden hun handen biddend gevouwen en droegen kleding uit een lang vervlogen tijd. Boven hun hoofden zag hij een opschrift gebeiteld : « Hier rust het lichaam van Gregorye Arthure, de eerste graaf van Dorincourt en ook dat van Alisone Hildegarde, zijn echtgenote. »

— Wie zijn dat ? vroeg de kleine lord fluisterend aan zijn grootvader.

— Een paar van je voorouders die hier eeuwen

geleden hebben geleefd.

Vol eerbied keek Cedric nog even naar de stenen beelden, waarna hij zijn kerkboek te voorschijn haalde en daarin bladerde om de dienst te kunnen volgen. Toen het orgel begon te spelen stond hij op en stemde met zijn heldere stem in met de zang van de gemeente. Hij ging helemaal op in het zingen.

Zijn moeder keek naar het kleine figuurtje, dat verlicht werd door de zonnestralen, die door de glasinloodramen kwamen. Ze bad de hemel dat hij zo vrolijk mocht blijven en dat de toekomst niet te zwaar op hem zou drukken.

— Oh Cedric, had ze de dag ervoor tegen hem gezegd, ik zou je de raad willen geven goed, moedig en trouw te blijven. Zorg ervoor dat je aardig bent voor de mensen, dan komt onze wereld er misschien iets beter uit te zien.

Bij het uitgaan van de kerk kwam een man met een pet in zijn hand naar de graaf en zijn kleinzoon toe.

— Zo Higgins, zei de graaf koel. Ik neem aan dat je je toekomstige lord komt bekijken.

— Meneer Newick heeft me verteld dat lord Fauntleroy zo vriendelijk is geweest een goed woord voor me te doen. Ik wilde hem graag bedanken.

— Oh, viel Cedric de boer in de rede, ik heb alleen de brief maar geschreven, al het andere heeft grootvader gedaan. U weet toch zeker wel dat hij altijd zo goed is voor iedereen? Is uw vrouw weer beter?

Higgins keek verbaasd. Hij wist niet wat hij ervan

denken moest, nu de graaf hem opeens werd voorgesteld als een toonbeeld van goedheid.

— Ja... ja... stamelde hij. Mijn vrouw is weer beter. De zorgen hadden haar ziek gemaakt.

— Daar ben ik blij om, zei lord Fauntleroy. Mijn grootvader vond het heel erg dat uw kinderen roodvonk hadden. Mijn grootvader houdt van kinderen!

Higgins was nu helemaal uit het veld geslagen. Hij wist dat de graaf nooit veel liefde voor zijn zoons had gehad. Als ze ziek waren, vluchtte hij naar Londen om niet besmet te worden.

— Je ziet, Higgins, zei de graaf met een zoetzuur lachje, dat jullie je allemaal in mij vergist hebben. Als je inlichtingen over mij nodig hebt, moet je die aan hem vragen. We gaan naar huis, Fauntleroy.

Toen het rijtuig een eindje verder de hoek omsloeg, lag er nog steeds een vreemd glimlachje om de mondhoeken van de graaf.

Hoofdstuk VIII

DE EERSTE RIJLES

Ook de volgende dagen was die glimlach om de mond van de graaf meer dan eens te zien. Vlak voor de komst van de kleine lord Fauntleroy vond hij de lange dagen en nachten vervelend en werd hij hoe langer hoe knorriger en prikkelbaarder. Na een lang leven vol afwisseling en plezier zat hij nu oud en jichtig in zijn prachtige kamer, met zijn ene voet op een laag bankje. Zijn enige vermaak vond hij in zijn kranten en boeken, maar men kan niet altijd lezen en zo kwamen er uren waarin hij zich verschrikkelijk verveelde. Vrienden kwamen hem zelden of nooit bezoeken en de bedienden waren doodsbang voor hem en bleven het liefst zo ver mogelijk uit zijn buurt. De graaf wist heel goed hoe ze over hem dachten, maar dat kon hem geen zier schelen. Toen was op een goede dag Cedric in zijn leven gekomen. Heel onverschillig had de graaf zijn komst tegemoet gezien, maar hij had wel vurig gehoopt dat de jongen gezond zou zijn en er flink uit zou zien, zodat de oude naam geen schande zou worden aangedaan.

Cedric was gezond en zag er flink uit, maar hij was meer. Hij was ook flink van karakter. De graaf vermaakte zich me zijn vrolijke gebabbel en vond het heel prettig dat Cedric zo goed over hem dacht. De dagen vielen hem minder zwaar en 's morgens luisterde hij al met ongeduld naar de vlugge voetstappen in de gang. Hij had het leuk gevonden de kleine lord aan Higgins een gunst le laten bewijzen. Op die manier zouden de pachters een goede indruk krijgen van hun toekomstige landheer. Hij voelde dat de mensen veel belangstelling stelden in Cedric en het had hem goed gedaan dat hij één van de vrouwen bij de kerk had horen roepen:

— Het is van top tot teen een lord!

Op de morgen dat de pony werd geprobeerd was de graaf zo in zijn schik geweest, dat hij zijn jicht was vergeten.

Wilkins de stalknecht had het leuke dier voorgeleid en de graaf was bij het open raam van de bibliotheek gaan zitten, om toe te kijken, terwijl lord Fauntleroy zijn eerste rijles kreeg. Hij was benieuwd of Cedric bang zou zijn, want dat was vaak het geval als kinderen voor het eerst in het zadel stegen. Dolblij besteeg Cedric de pony, waarna Wilkins hem voor het raam heen en weer liet stappen. Later in de stal zei hij:

— Dat kereltje heeft lef. Het duurde niet lang of hij zat al kaarsrecht in het zadel. «Net als in de rijschool, hè, Wilkins. Daar zitten ze ook altijd rechtop,» zei hij.

Maar het rechtop zitten en aan de teugel heen en weer worden geleid bevielen Cedric maar heel even. Hij vroeg of hij alleen mocht rijden, draven en galopperen.

Wilkins haalde een paard voor zichzelf uit de stal en liet de pony draven. Al snel merkte Cedric dat draven lang niet zo gemakkelijk was als stappen.

— Oh-oh-oh, zei het kind, wat h-hotst d-dat. H-hots jij oo-ook zo, Wilkins?

— Nee, milord. Ga een beetje op de stijgbeugels staan.

Cedric hotste onregelmatig op en neer. Op een gegeven moment waren de ruiters achter de bomen verdwenen en toen ze weer te voorschijn kwamen, was Cedric zijn hoed kwijt.

— Is hij niet bang? vroeg de graaf vanuit het venster.

— Bang, milord? Ik geloof dat hij niet eens weet wat dat woord betekent. Ik heb nog nooit iemand gezien die het zo dapper volhield.

Er kwam een uitdrukking van tevredenheid op het gerimpelde gezicht van de graaf. Zijn ogen blonken onder zijn borstelige wenkbrauwen, toen hij de ruiters nakeek, die weer naar de grote laan terugreden. In spanning wachtte hij tot het geluid van hoeven weer te horen was.

— Zag u het? vroeg Cedric hijgend, toen ze stilstonden. Ik heb gegaloppeerd. Ik doe het nog niet zo goed, maar ik ben er niet afgevallen.

Vanaf die dagen waren Cedric, Wilkins en de pony gezworen kameraden. Elke dag zagen de mensen hen draven langs wegen en lanen. De kinderen kwamen naar buiten als ze de ruiters hoorden aankomen. De kleine lord nam dan zijn muts af en riep :

— Hallo, goedemorgen!

Soms hield Cedric stil om met de kinderen te praten en op een dag steeg hij af om een gebrekkig jongetje op zijn pony naar huis te brengen. Toen ze bij het huisje van de familie Hartle waren aangekomen kwam de moeder naar buiten. Cedric nam zijn muts af en zei :

— Ik heb uw zoontje thuisgebracht, omdat zijn been pijn deed. Ik geloof niet dat die stok hem genoeg helpt om op te leunen. Daarom zal ik grootvader vragen of hij een paar krukken voor hem wil laten maken.

— M'n kop eraf, zei Wilkins toen hij dit verhaal in de stal vertelde, als ik er wat aan kon doen. Die vrouw stond echt met open mond te luisteren.

De graaf hoorde het verhaal lachend aan. Tegen de verwachting van Wilkins in werd hij niet boos. Een paar dagen later bleef voor het huisje van de familie Hartle het rijtuig stilstaan. Cedric sprong eruit met een paar lichte sterke krukken op zijn schouder.

— De groeten van grootvader en of u dit aan uw zoontje wilt geven, zei hij tegen de moeder. We hopen dat hij weer gauw beter zal zijn.

Die avond zei hij tegen zijn grootvader :

— Ik heb gezegd : « De groeten van grootvader. » Dat was toch goed ?

De graaf zei niets en lachte alleen. Met de dag werden de graaf en zijn kleinzoon vertrouwelijker met elkaar. Cedric begon steeds meer te geloven in de goedheid en edelmoedigheid van zijn grootvader.

Elke dag bracht hij een paar uur door bij zijn moeder op Court Lodge. Samen maakten ze lange wandelingen en hij vertelde haar alles wat hij beleefde.

Toch was er één ding waarover Cedric zich bleef verwonderen en waarvoor hij geen oplossing kon vinden. Als hij met het rijtuig naar Court Lodge werd gebracht, stapte de graaf, die hem altijd vergezelde, nooit uit. Toch werden elke dag vruchten en bloemen uit de kassen van het kasteel naar Court Lodge gebracht. En eens, toen Cedric weer naar zijn moeder zou gaan, stond er een licht wagentje met een mooi bruin paard bespannen voor de deur.

— Dat is een cadeautje van jou voor je moeder, zei de graaf kortaf. Ze kan niet door weer en wind lopen en moet dus een rijtuig hebben. De koetsier op de bok zal ervoor zorgen. Zeg dat het van jou komt.

Cedric kon bijna niet wachten om haar het grote nieuws te vertellen.

— Liefste, hoe vind je het, riep hij vanuit de deuropening. Grootvader zegt dat het een cadeautje van mij voor jou is. Het is je eigen rijtuig, waarmee je elke dag kunt gaan rijden.

Ze wilde zijn vreugde niet bederven door het geschenk te weigeren. Ze moest het rijtuig in om een eindje rond te rijden, terwijl Cedric niet uitgebabbeld raakte over de goedheid van zijn grootvader.

De volgende dag schreef Cedric een lange brief aan zijn vriend meneer Hobbs. Toen hij het klad geschreven had, vroeg hij of zijn grootvader de fouten wilde verbeteren.

— Ik zal het straks in het net schrijven, zei hij.

De brief luidde :

« Beste meneer Hobbs,

Ik wil beginnen met u te vertellen dat niet alle graven tirannen zijn. Mijn grootvader is de beste man die u zich kunt indenken. Hij heeft jicht aan zijn voet, maar is heel geduldig. Ik houd elke dag een beetje meer van hem, maar van zo'n graaf moet je wel houden. Hij heeft mij een pony met een wagentje gegeven en mama een rijtuig. Ik heb drie grote kamers en zoveel speelgoed, dat u niet weet wat u ziet.

Het kasteel en het park zijn zo groot, dat je er in kunt verdwalen. Wilkins de stalknecht zegt dat er onder de toren een diepe gevangenis is.

In het park is alles prachtig. Er zitten herten en konijnen die je zo ziet lopen. Mijn grootvader is erg rijk, maar helemaal niet trots. U zei toch dat graven dat altijd waren ? Ik maak graag wandelingen met hem. De mensen hier zijn erg beleefd. De mannen nemen hun petten af en de vrouwen maken een buiging en zeggen : « God zegene u. » Ik kan nu paardrijden, maar in het begin hotste ik erg. Mijn grootvader liet een arme man op de boerderij blijven toen hij zijn huur niet kon betalen. Juffrouw Mellon heeft er wijn heengebracht en andere dingen voor de kinderen. Ik zou u graag eens zien en ik zou ook graag willen dat moeder op het kasteel kwam wonen. Ik vind het hier prettig als ik haar niet te erg mis. Ik houd veel van mijn grootvader, maar dat doet iedereen. Schrijf alstublieft snel terug.

Uw liefhebbende vriend

Fauntleroy »

« P.S. Er zit niemand in de gevangenis, mijn grootvader houdt er niet van iemand op te sluiten. »

— Mis je je moeder erg ? vroeg de graaf, toen hij de brief had gelezen.

— Ja, haast altijd, antwoordde Cedric. U mist haar niet, hè ?

— Dat komt omdat ik haar niet ken, zei de graaf kortaf.

— Dat is juist zo vreemd, ging Cedric verder. Moeder heeft gezegd dat ik u niet met vragen lastig mocht vallen. Maar ik denk er vaak aan en begrijp er niets van. Als ik 's avonds erg naar haar verlang, kijk ik naar het lichtje dat ze voor het venster zet. Ik weet wat het wil zeggen.

— Wat zegt het dan ?

— Het zegt : « Goedenacht. God zal je bewaken. » Dat zei Liefste ook toen we bij elkaar waren.

Iedere ochtend zei ze : « God moge je de hele dag zegenen. » U ziet dus wel dat ik altijd heel veilig ben.

— Heel veilig, bromde de graaf kortaf.

Hij keek het kereltje zo strak aan, dat Cedric zich afvroeg waaraan grootvader dacht.

Hoofdstuk IX

DE KROTTEN VAN DE ARMEN

De graaf dacht in die dagen over heel wat dingen waar hij zich vroeger nooit druk over had gemaakt en alles stond op de één of andere manier in verband met zijn kleinzoon. Heel vaak dacht hij aan de toekomst, als Cedric een jonge man zou zijn. Maar ook dacht hij dikwijls aan het verleden. Dat verleden was niet zo mooi geweest en menig keer wenste hij dat hij een beter leven had geleid. Wat zou het kind schrikken als het te weten kwam dat zijn grootvader in vroegere jaren « de boze graaf van Dorincourt » werd genoemd !

Op een dag liet de graaf een grote, sterke schimmel

91

zadelen en begeleidde hij de kleine lord op zijn pony. Cedric juichte van plezier!

Vanaf die dag werd zijn paard Selim elke dag gezadeld en de mensen raakten eraan gewend de grote grijze man op de schimmel te zien rijden naast de pony, waarop lord Fauntleroy babbelend reed.

Door dit vertrouwelijke samenzijn leerde de graaf de vrouw van zijn zoon beter kennen. Hij kwam er achter dat de weduwe van de kapitein niet stilzat. Was er armoede, ziekte, of narigheid in een woning, dan kon men het welbekende rijtuigje vaak voor de deur zien staan.

— Weet u, vertelde Cedric op een morgen, dat iedereen die haar tegenkomt « God zegene u » zegt? De kinderen houden veel van haar en er zijn meisjes die naaien van haar leren. Ze zegt dat ze nu zo rijk is, dat ze de armen kan helpen.

De graaf vond het plezierig dat mevrouw Errol zich als een lady gedroeg en zich geliefd maakte bij de dorpsbewoners. Toch voelde hij telkens jaloezie opkomen als Cedric over haar sprak.

Op een morgen liet hij het paard stilstaan en wees hij met zijn rijzweep over de hele omtrek.

— Weet je wel dat al dat land mij toebehoort?

— Alles wat we hier zien? Wat veel voor één mens!

— Weet je dat dit en nog veel meer ooit van jou zal zijn?

— Voor mij? vroeg de kleine lord met schrille stem. Wanneer dan?

— Als ik dood ben.

— Dan wil ik het niet hebben, zei Cedric beslist. U moet altijd blijven leven.

— Dat is heel aardig van je, maar dat kan niet, antwoordde de graaf op zijn gewone droge toon.

Graaf Dorincourt bedacht dat het toch wel ongelooflijk was dat hij, die nooit om iemand had gegeven, zoveel voor een kind voelde. In het begin was hij trots geweest op Cedrics goede uiterlijk en zijn perfecte manieren. Maar nu kwamen er andere gevoelens om de hoek kijken. Hij was van het kind gaan houden en wilde dat Fauntleroy een goede indruk van hem zou krijgen, van hem zou houden en hem zou waarderen.

— Ik ben een oude gek, dacht hij. Je kunt wel merken dat ik niets anders heb om over na te denken.

Toch wist hij heel goed dat hij de kwaliteiten die hij in zijn kleinzoon zo waardeerde: eerlijkheid, trouw, vertrouwen en de gave sympathiek over te komen, nooit had bezeten.

Een week later kwam Cedric met een onthutst gezichtje terug van Court Lodge. Hij ging bij zijn grootvader zitten en bleef een tijdje in het vuur staren, voordat hij eindelijk begon te praten.

— Weet Newick eigenlijk wel wat er op uw landgoed gebeurt? begon hij.

— Dat zou hij eigenlijk wel moeten weten, antwoordde de graaf, die er plezier in had dat Cedric zich voor het landgoed interesseerde. Heeft hij iets over het hoofd gezien?

— Liefste heeft aan de rand van het dorp een krottenwijk ontdekt, zei Cedric. De huizen staan dicht tegen elkaar en zijn volkomen vervallen. De regen gaat dwars door de daken en alles wordt vochtig en verrot. De mensen die er wonen krijgen koorts en de kinderen sterven. Als mensen er zo beroerd aan toe zijn worden ze opstandig. Liefste is er heengeweest, maar ze wilde me niet omhelzen voordat ze andere kleren had aangetrokken. Ik zei dat ik er met u over zou praten, omdat u er vast niets van afwist. U zou er, net als voor Higgins, iets aan kunnen doen.

Natuurlijk wist de graaf van het bestaan van deze krotwoningen af. Hij wist dat de daken het begaven en dat de muren en vloeren tochtig en nat waren. Ook was hij ervan op de hoogte dat de bewoners vaak chronische ziektes hadden.

Maar nu hij dat kleine handje op zijn knie voelde, schaamde hij zich voor die krotten.

— Moeten we andere woningen bouwen? vroeg hij.

— Die krotten moeten worden afgebroken, antwoordde Fauntleroy opgewonden. Liefste zegt het ook. Breken we ze morgen af? De mensen zullen zo blij zijn als ze weten dat u hen helpt.

Zijn gezichtje begon te stralen.

— Laten we naar het terras gaan, zei de graaf. Daar kunnen we erover praten.

Terwijl de graaf, net als altijd op mooie dagen, heen en weer op het terras liep, scheen hij aan iets prettigs te denken.

Hoofdstuk X

SLECHT NIEUWS

Mevrouw Errol had inderdaad gemerkt dat in het kleine dorpje Erleboro heel wat nare dingen waren. Vanaf de heuveltop zag het er gezellig en schattig uit, maar er heerste ellende, narigheid, onwetendheid en luiheid, terwijl er werk en welzijn moesten zijn.

Dominee Mordaunt vertelde haar dat hij tevergeefs had geprobeerd er iets aan te doen en dat de opzichters alleen hun best deden in een goed blaadje bij de graaf te komen. Van de ellende van de boeren en het verkrotten van de woningen trokken zij zich niets aan.

In de loop der jaren waren de huizen steeds

verslechterd en er werd aan het achterstallige onderhoud geen aandacht geschonken. Deze krottenwijk was er het slechtst aan toe. De rieten daken vertoonden grote gaten en de bevolking was doorlopend ziek. De eerste keer toen mevrouw Errol de wijk zag, liepen de rillingen haar over de rug. Al die vuiligheid en ellende maakten hier op het platteland nog grotere indruk dan in een stad. Bovendien had met een regelmatig onderhoud een dergelijke nachtmerrie voorkomen kunnen worden. Ze zag de vuile verwaarloosde kinderen en dacht aan haar eigen, kleine jongen, die op het kasteel woonde en maar met zijn vingers hoefde te knippen om het gewenste te krijgen. Op dat moment kwam ze op het idee om Cedric als tussenpersoon te laten optreden. Hij had het geluk in de gunst te vallen bij de graaf en zo zouden anderen kunnen worden geholpen. Zou de graaf bereid zijn ook deze wens van zijn kleinzoon in te willigen?

En zo verliepen de zaken naar tevredenheid, dankzij het volledige vertrouwen dat de kleine lord in zijn grootvader had. De oude man kon onmogelijk die eerlijke blik negeren. Bovendien kon hij het kind moeilijk in het gezicht zeggen:

— Nee, ik ben een oude egoïst. Met edelmoedigheid wil ik niets te maken hebben en de problemen van die krotbewoners interesseren me niet.

Uiteindelijk was het niet zo slecht dat hij zich van tijd tot tijd van een goede kant liet zien.

Hij liet Newick bij zich komen en na een lang

gesprek besloot de graaf de krotten af te laten breken, om er nieuwe huizen voor in de plaats te zetten.

— Het is een beslissing van lord Fauntleroy, voegde hij eraan toe. Hij vindt dat er verbeteringen op het landgoed moeten worden aangebracht. Zeg dat maar tegen de pachters.

Al die tijd lag de kleine jongen op het haardkleed te spelen met Dougal, die een trouwe vriend was geworden.

Natuurlijk kwam het nieuws van de bouw de dorpelingen al snel ter ore. In het begin waren er maar weinig die er in geloofden, maar toen men de metselaars zag die aan de afbraak begonnen, moest men de feiten wel onder ogen zien. De mensen zeiden dat lord Fauntleroy hun belangen goed behartigde en het schandaal dat de krottenwijk vormde werd snel vergeten.

Cedric had er geen idee van dat er zoveel goeds over hem verteld werd. Hij rende in het park achter de konijnen aan, of las boeken, waar hij later met zijn grootvader over sprak. Hij had lange gesprekken met zijn moeder, schreef brieven aan Dick en meneer Hobbs, of maakte lange ritten op zijn pony, waarbij hij werd begeleid door zijn grootvader of Wilkins.

Als hij met zijn grootvader in het dorp kwam, zag hij wel dat de mannen zich omdraaiden en hun pet afnamen om te groeten, maar hij dacht dat het bestemd was voor de graaf.

— Wat houden ze veel van u, zei hij op een dag lachend. Wat zijn ze blij u te zien! Ik hoop dat de mensen ooit ook zoveel van mij houden. Wat is het heerlijk als mensen van je houden!

De bouw van de nieuwe huizen was begonnen en de graaf en zijn kleinzoon kwamen elke dag even kijken of het werk goed opschoot. Fauntleroy vond het allemaal even interessant. Hij kwam van zijn pony en vroeg de metselaars het naadje van de kous, of vertelde hoe er in Amerika werd gewerkt.

De metselaars spraken onder elkaar over de kleine lord. Ze zeiden dat het een aardig kind was en helemaal niet hooghartig, zoals de andere leden van zijn familie. Ze mochten hem graag en lachten om zijn vaak rake opmerkingen. Vervolgens spraken de metselaars met hun vrouwen, die op hun beurt weer met andere vrouwen babbelden en al heel snel sprak het hele dorp over de kleine lord en zijn grootvader, die, nu hij eindelijk voor iemand iets voelde, een veel beter mens leek te worden. Maar niemand wist hoe het zijn oude hart goed deed. Nog nooit had iemand zoveel vertrouwen in hem gehad. Soms dacht hij aan de tijd dat zijn kleinzoon een jonge, begaafde man zou zijn, maar de graaf was ervan overtuigd dat hij edelmoedig zou blijven en overal vrienden zou maken.

— De jongen kan alles bereiken, zei hij tegen zichzelf.

Op een dag zei Fauntleroy, terwijl hij opkeek uit zijn boek:

— Ik geloof niet dat er ergens een grootvader en een kleinzoon bestaan die het beter met elkaar kunnen vinden dan wij.

— Wij zijn inderdaad grote vrienden, beaamde

de graaf. Kan ik je ergens een plezier mee doen?

— Ja, met één ding.

— Wat dan?

Na een aarzeling antwoordde Cedric :

— Liefste!

— Maar je ziet haar elke dag, wierp de graaf tegen. Dat is meer dan genoeg.

— Vroeger kon ik haar elk moment van de dag aanraken. Voor ik naar bed ging kuste ze me en als ik opstond kon ik haar meteen alles vertellen.

De oude man trok zijn wenkbrauwen op.

— En je vergeet haar nooit?

— Nee, nooit. En zij mij ook niet. Met u is het hetzelfde. Ik zal u nooit vergeten, zelfs niet als ik niet meer bij u woon.

— Lieve deugd, antwoordde de graaf, ik geloof echt dat je daartoe in staat bent.

De jaloezie die hij voor de moeder voelde was groter dan ooit, omdat hij zich aan het kind was gaan hechten.

Maar al snel daarop zou de graaf andere, pijnlijker problemen krijgen dan de gevoelens voor zijn schoondochter. Een onverwacht voorval zou hem erg bezighouden.

Al een hele tijd was er op Dorincourt niemand meer officieel ontvangen. Maar op een goede dag besloot de graaf uitnodigingen voor een groot diner te versturen. Enkele dagen daarvoor brachten sir Henry Lorridale en lady Constance een bezoek aan het kasteel. Dat was een uitzonderlijke gebeurtenis, waar de hele omgeving over sprak.

Lady Lorridale was de enige zuster van de graaf van Dorincourt. Sinds haar huwelijk, vijfendertig jaar geleden, was ze maar één keer op Dorincourt geweest. Ze was een bejaarde dame met witte krullen, gerimpelde wangen en een hart van goud. Net als de andere mensen had ze geen goede mening over haar broer. Veel dingen die hij had gedaan deden haar pijn. Zijn jong gestorven vrouw had hij slecht behandeld en voor zijn zoons had hij weinig belangstelling getoond. Bovendien had hij weinig eer betuigd aan de familie waarvan hij de naam droeg. De oudste twee zonen had ze nooit ontmoet, maar daarentegen had ze op een dag bezoek gehad van een charmante achttienjarige jongen, Cedric Errol. Hij was in de buurt en had zin gehad kennis te maken met zijn tante. Lady Lorridale was ontroerd geweest, toen ze haar aardige vrolijke neef ontmoette, die ze nooit meer terug zou zien. De graaf had zijn zoon verboden ooit nog een voet op Lorridale te zetten, maar de tante had nog warme herinneringen aan de jongen. Wat jammer dat hij naar Amerika was gegaan en daar was getrouwd met een meisje zonder rang of stand. De oude dame had niet geweten dat de graaf elk contact met zijn zoon had verbroken. Op een dag had ze alleen vernomen dat Cedric was gestorven. Kort daarop maakte de oudste een dodelijke val van zijn paard en stierf de tweede in Rome aan de koorts. Daarna was het voor haar broer dus zaak de laatste erfgenaam van Dorincourt uit Amerika te laten halen.

— En nu verpest hij het leven van dat kind,

natuurlijk, net als dat van de anderen, voorspelde lady Lorridale somber. Of die moeder moet al zo'n sterk karakter hebben, dat het een goede invloed heeft op haar zoon.

Toen ze vernam dat de zoon werd gescheiden van haar moeder, was ze verontwaardigd.

— Henry, dat is schandalig ! riep ze uit. Zo'n jong kind van zijn moeder weghalen om mijn broer gezelschap te houden. Of hij behandelt dat kind zoals gebruikelijk heel streng, of hij zorgt ervoor dat het zijn eigenschappen overneemt en een monstertje wordt. En schrijven heeft natuurlijk geen enkele zin.

De boeren uit de omtrek waren niet de enigen die over lord Fauntleroy spraken. Ook in hogere kringen had men lucht gekregen van deze geschiedenis. Men wist dat het kind aardig en populair was en een goede invloed op de graaf scheen te hebben. Tijdens samenkomsten en avondjes werd over de kleine lord gesproken. De dames vroegen zich af of hij er even charmant uit zou zien als werd verteld en beklaagden de arme moeder. De mannen lachten om het feit dat het kind overtuigd zou zijn van de goedheid van zijn grootvader. Een paar hadden de graaf en zijn kleinzoon gezien tijdens de ritten te paard en beweerden dat de man zo trots als een pauw was op de kleine lord.

Ook lady Lorridale was op de hoogte van de geschiedenis van de kleine lord. Ze had gehoord over Higgins, het gebrekkige jongetje, de krottenwijk en nog veel meer zaken. Ze brandde van verlangen kennis te maken met Cedric, maar wist niet hoe ze dat moest aanpakken, tot ze van haar broer de uitnodiging kreeg enige tijd op Dorincourt door te brengen.

— Het is ongelooflijk, zei ze. Ik begin te geloven dat het kind werkelijk wonderen verricht. Het lijkt erop dat mijn broer iets voor hem voelt en er trots op is ons met hem te laten kennismaken.

Tegen de avond kwamen ze aan op het kasteel. Lady Lorridale ging onmiddellijk naar haar kamer om zich te verkleden en liet zich pas tegen etenstijd zien. De graaf stond bij een groot vuur. Naast hem stond een jongetje in een zwart fluwelen pakje met kantkraag. Hij had een schattig gezichtje, blonde krullen en grote glinsterende ogen. Lady Lorridale gaf de graaf een hand en sprak hem aan met zijn voornaam, die hij al sinds tijden niet meer had gehoord.

— Zo Molyneux, zei ze, dat is dus je kleinzoon.

— Ja, Constance, antwoordde hij, dat is hem.

Hij stelde Cedric aan zijn zuster voor.

— Fauntleroy, deze dame is lady Lorridale, je oud-tante.

— Hoe maakt u het, oud-tante? vroeg de kleine lord.

Lady Lorridale legde haar hand op zijn schouder en na hem even te hebben aangekeken, kuste zij hem hartelijk.

— Ik ben je tante Constance en ik hield veel van je vader. Je lijkt veel op hem.

— Ik vind het fijn als de mensen dat zeggen, zei Fauntleroy. Het schijnt dat iedereen veel van papa hield. Net zoals men veel van Liefste houdt.

Lady Lorridale kuste hem nogmaals.

— Zo Molyneux, zei ze, terwijl ze haar broer apart nam, het lijkt me dat je het niet beter had kunnen treffen.

— Het is inderdaad een lief kind en we kunnen uitstekend met elkaar overweg. Hij vindt dat ik een weldoener ben. Ik moet bekennen dat ik me door hem nogal eens belachelijk maak.

— En hoe denkt zijn moeder over je? vroeg lady Lorridale recht op de man af.

— Dat weet ik niet. Ik heb er niet naar gevraagd, antwoordde de graaf op koele toon.

— Dan zal ik je mijn mening eens geven, Molyneux. Ik ben het helemaal niet met je eens en ik ga, of je het nu wel of niet leuk vindt, zo snel mogelijk een bezoekje aan haar brengen. Als je daar ruzie over wilt maken, moet je het maar zeggen. Ik heb over die vrouw alleen maar goeds gehoord en het kind heeft alles aan haar te danken. Bovendien schijnt ze veel te doen voor jouw arme pachters.

— Je zult een jonge aantrekkelijke vrouw aantreffen en ik ben blij dat haar zoon haar uiterlijk heeft geërfd. Als je daar zin in hebt kun je haar gaan bezoeken. Ik wil alleen dat ze op Court Lodge blijft en men mij niet verplicht haar te zien.

Die avond zei lady Lorridale tegen haar man :

— Ik geloof dat hij zich minder hard opstelt tegenover haar. De liefde voor dat kleine knulletje heeft hem, hoe ongelooflijk dat ook moge lijken, menselijker gemaakt. In ieder geval houdt dat kind van hem. Hij leunt op zijn stoel en dat zouden zijn eigen kinderen nooit gedaan hebben, want die waren bang voor hem.

De volgende dag bracht ze een bezoek aan mevrouw Errol, waarna ze onmiddellijk naar haar broer ging.

— Molyneux, begon ze, het is een allerliefste vrouw, met een goddelijke stem. Jij mag dankbaar zijn dat zij dat kind heeft opgevoed. Ze heeft hem heel wat meer gegeven dan uiterlijke schoonheid. Het is een grote vergissing haar niet hier te laten wonen. Ik heb besloten haar op Lorridale uit te nodigen.

— Ze zal nooit zonder haar zoon gaan, mompelde de graaf.

— Reken erop dat ik hem ook uitnodig, antwoordde lady Lorridale glimlachend.

Het was duidelijk dat de graaf het kind niet zo maar zou laten gaan. Elke dag viel het lady Lorridale meer op dat de grootvader en de kleinzoon erg aan elkaar waren gehecht. De gevreesde oude man projecteerde al zijn ambities en liefde op het kleine knulletje. Het groots opgezette diner had dan ook maar één doel : de graaf wilde de hogere kringen kennis laten maken met zijn kleinzoon, de erfgenaam van de oude familienaam. Hij wilde laten zien dat zijn verhouding met de kleine lord, waar al zoveel over gesproken was, perfect verliep en tonen dat het kind nog mooier was dan werd verteld.

— De oudste twee zonen hebben hem alleen maar problemen opgeleverd, zei lady Lorridale tegen haar man. Eindelijk heeft hij iets om trots op te zijn.

De uitnodiging naar het kasteel van Dorincourt te komen werd door iedereen met beide handen aangenomen. Men was veel te nieuwsgierig naar de kleine lord Fauntleroy en men vroeg zich af of hij op de receptie aanwezig zou zijn.

Op de bewuste dag stond lord Fauntleroy naast zijn grootvader. De graaf had vertrouwen in zijn goede manieren, terwijl hij in het algemeen geen hoge dunk van kinderen had.

— Hij kan heel goed vragen beantwoorden en zwijgen als dat nodig is, zei hij. Dat kind is geen flapuit.

Toch was het voor de kleine lord nauwelijks mogelijk te zwijgen. Iedereen wilde met hem praten. De dames liefkoosden hem en de heren maakte grapjes. Het was net als op de boot waarmee hij uit New York was gekomen.

Fauntleroy begreep niet altijd waarom ze om hem moesten lachen, maar daar was hij aan gewend en de vrolijke gezichten om hem heen stoorden hem niet. Hij vond het een heerlijke avond. De zalen waren helverlicht en overal stonden bloemen. De dames droegen prachtige japonnen en schitterende juwelen.

Er was een jonge vrouw, die zijn aandacht trok. Ze was slank en had een mooi gezichtje met glanzend bruin haar en zachte violetkleurige ogen. Ze droeg een prachtige witte japon en een parelketting. Omdat er steeds veel mannen om haar heen stonden, die er alles aan deden het haar naar de zin te maken, dacht Fauntleroy dat ze een prinses was. Steeds dichter kwam hij naar haar toe, terwijl hij haar met zijn ogen verslond. Op een gegeven moment kreeg ze hem in de gaten.

— Kom eens hier, Fauntleroy, zei ze lachend. Vertel me eens waarom je me zo aankijkt.

— Ik vind u mooi, antwoordde de kleine lord.

De heren begonnen te lachen en het meisje keek geamuseerd. Er kwam een blos op haar wangen.

— Oh Fauntleroy, maak gebruik van je jeugd, zei één van de heren. Binnenkort kun je iets dergelijks niet meer zeggen.

— Maar waarom niet? vroeg Fauntleroy verbaasd. Kunt u dat dan niet zeggen? Ze is toch erg mooi?

— We hebben niet het recht te zeggen wat we denken, verklaarde de man schaterlachend.

Het mooie meisje dat Vivian Herbert heette, trok Cedric met een lief gebaar naar zich toe.

— Lord Fauntleroy mag tegen mij alles zeggen wat hij denkt. Ik weet zeker dat hij eerlijk is.

Ze zoende hem op zijn wang.

— Ik heb nog nooit zo'n mooie vrouw als u gezien, zei hij bewonderend. Behalve Liefste, natuurlijk. Maar er is op de hele wereld niet zo'n mooie vrouw als Liefste.

— Daar ben ik van overtuigd, zei miss Vivian Herbert.

Een deel van de avond bleef de kleine lord in het gezelschap van Vivian en de heren die haar omringden. Cedric vertelde over Amerika, de fakkeloptochten, meneer Hobbs en Dick en haalde uit zijn zak de rode halsdoek.

— Die hebt ik in mijn zak gestopt, omdat het vanavond feest is. De mannen vonden het een hartverwarmend gebaar, dat hen amuseerde.

Iedereen was hevig geïnteresseerd in de kleine lord, maar hij wist dat hij op sommige zaken niet in moest gaan. Op zeker moment ging hij bij de stoel van zijn grootvader staan. De graaf merkte dat er verbaasd werd geglimlacht. Het deed hem goed dat de verhouding met zijn kleinzoon verwondering wekte.

Ook meneer Havisham werd verwacht, maar die verscheen pas in de namiddag. Hij arriveerde op het moment dat het diner werd aangekondigd en de gasten naar de eetzaal gingen. De man was bleek en zag er ontmoedigd uit.

— Ik ben opgehouden door bijzondere omstandigheden, legde hij de graaf uit.

Meneer Havisham was geen man die zich opwond. Hij was evenmin een man om te laat te komen. Maar nu scheen er toch iets mis te zijn. Hij at nauwelijks en schrok op uit zijn gepeins als men het woord tot hem richtte. Hij keek Fauntleroy die tijdens het dessert binnenkwam, in gedachten verzonken aan en glimlachte niet naar hem, zoals hij anders wel deed.

Hij dacht aan niets anders dan aan het vreemde nieuws dat hij na het diner aan de graaf moest vertellen. Verschrikkelijk nieuws, dat alles zou veranderen. Terwijl hij naar de verlichte zalen keek en naar het gezelschap, dat was gekomen om de kleine jongen met de blonde krullen te zien, voelde hij zich diep ontroerd.

De maaltijd was ten einde en men ging naar de grote zaal. Cedric was doodmoe. Zijn oogleden waren zo zwaar geworden, dat hij nauwelijks merkte dat miss Vivian Herbert afscheid van hem nam. Hij strekte zich uit op een bank en hoorde alleen nog maar vaag gepraat en gelach.

Zodra de laatste genodigde het kasteel had verlaten, ging meneer Havisham naar de kleine slaper toe en bekeek hem medelijdend.

— Vooruit Havisham, wat is er aan de hand? Waarom zet je zo'n gezicht? Er is duidelijk iets gebeurd.

Meneer Havisham fronste zijn voorhoofd.

— Erg slecht nieuws, milord. Werkelijk heel erg slecht. Het spijt me dat u te moeten mededelen.

De graaf had zich sinds het binnenkomen van de advocaat niet op zijn gemak gevoeld. Als hij zich zorgen maakte, kreeg hij een slecht humeur.

— Waarom bekijk je Fauntleroy zo vreemd? Wat voor slechte tijding heb je eigenlijk? Heeft het iets met Fauntleroy te maken?

— Ik zal het kort maken, milord. Het nieuws heeft inderdaad iets met Fauntleroy te maken. Als het nieuws juist is ligt daar niet lord Fauntleroy te slapen, maar alleen maar de zoon van kapitein Errol. De echte Fauntleroy is de zoon van uw zoon Bevis. Hij is op dit moment in een huis in Londen.

De graaf greep met twee handen de stoelleuning vast en zijn gezicht werd lijkbleek.

— Wat vertel je me nu ! Ben je je verstand kwijt ? Wat is dat voor een leugen ?

— Het heeft er alle schijn van dat het de waarheid is. Vanmorgen kwam er een jonge vrouw op mijn kantoor. Zij beweerde dat uw zoon Bevis zes jaar geleden met haar in Londen is getrouwd. Ze heeft me zelfs de huwelijksakte laten zien. Ze vertelde dat ze na een jaar woorden met uw zoon kreeg en hij haar geld heeft gegeven om te vertrekken. Ze heeft een zoon die nu vijf jaar is. De vrouw is een Amerikaanse uit een... ahem... laagstaand milieu. Ze is een nogal dom schepseltje, dat onlangs tot de ontdekking kwam dat haar zoontje aanspraak kon maken op de titel lord Fauntleroy. Eén of andere zakenman heeft haar daarvan op de hoogte gebracht.

Cedric bewoog even in zijn slaap. De graaf was nog steeds erg bleek.

— Dat was echt iets voor Bevis om zoiets uit te halen ! De jongen was de schande van de familie. Het is erg dat ik het moet zeggen, maar hij had geen geweten en totaal geen doorzettingsvermogen. En die vrouw is dus dom en ordinair !

— Ze heeft geen opvoeding gehad, antwoordde de advocaat. Ze denkt alleen aan geld. In haar soort is ze een mooie vrouw.

De oude man lachte vreugdeloos.

— En dan te denken dat ik de moeder van Cedric niet wilde erkennen als schoondochter... Dat is de straf voor mijn hoogmoed.

De graaf ijsbeerde door de zaal en begon met zachte stem, om Cedric niet wakker te maken, zijn zoon Bevis te vervloeken.

— Dat was echt iets voor hem, mopperde hij nijdig.

Hij wond zich zo op, dat meneer Havisham bang werd dat het slecht zou zijn voor de gezondheid van de oude man. Eindelijk ging de graaf in zijn stoel zitten. Maar er was meer dan alleen woede.

— Ik had nooit gedacht dat ik me zo aan een kind kon hechten. Maar ik houd van hem en hij houdt van mij. Hij is niet bang voor me en heeft vertrouwen in me. Hij is op zijn plaats in Dorincourt en hij doet onze naam eer aan.

De graaf keek even naar het mooie gezichtje van het slapende kind en belde toen de huisknecht.

— Draag... zei hij met gebroken stem... Draag... lord Fauntleroy naar zijn kamer en zorg ervoor dat hij niet wakker wordt!

Hoofdstuk XI

DE AMERIKAANSE VRIENDEN

Laten we even naar de andere kant van de Atlantische Oceaan gaan. Meneer Hobbs had er een tijdje over gedaan om te begrijpen dat Cedric nooit meer terug zou komen en hij voelde zich erg eenzaam. Zijn enige afleiding was het lezen van zijn kranten en het bijhouden van zijn administratie.

In het begin had meneer Hobbs nog het gevoel dat het kind met zijn witte pakje, zijn rode kousen en zijn strohoed achterop zijn hoofd, elk moment kon binnenstappen en zeggen : « Dag meneer Hobbs, wat is het warm vandaag, vindt u ook niet ? »

Maar dat was maar een illusie. Er gebeurde niets

en meneer Hobbs werd steeds somberder. Zijn kranten en de politieke nieuwtjes las hij niet meer met hetzelfde plezier. Hij nam de krant op zijn knieën en staarde lang en diep zuchtend naar de kruk, waarvan de stijlen slijtageplekken hadden, veroorzaakt door Cedrics zolen. Dat stemde hem droefgeestig. Daarop opende meneer Hobbs zijn horloge en keek vertederd naar de inscriptie : « Voor meneer Hobbs, van zijn vriend lord Fauntleroy. Als u dit leest, denk dan aan mij. » Vervolgens sloot hij de kast, deed de winkel op slot en stak een pijp op. Tegen het vallen van de avond maakte hij een wandeling tot het huis waar Cedric had gewoond en waarop een bord was aangebracht met: « Huis te huur. »

Een maand of drie waren voorbijgegaan. Op een dag kreeg meneer Hobbs het idee Dick een bezoekje te brengen. Ze konden dan samen over hun jonge vriend praten. Dat zou hen goed doen.

Dick stond ijverig de schoenen van één van zijn klanten te poetsen, toen een brede man naar de plaats kwam waar de jongen aan het werk was. De man keek naar het uithangbord waarop stond : « Dick Tipton laat de schoenen en laarzen van dames en heren glimmen voor een redelijke prijs. »

— Schoenen poetsen, meneer ? stelde Dick de nieuwe klant voor.

— Waarom niet ? antwoordde meneer Hobbs en nam plaats in de stoel van de schoenpoetser. Ik vind dat je prima bent uitgerust en een mooi uithangbord hebt.

— Dat is een cadeau van één van mijn vrienden, legde Dick uit. Hij heeft al het materiaal voor me gekocht. Het is een klein knulletje zoals je weinig tegenkomt. Hij is naar Engeland vertrokken en weet u waarom ? Om lord te worden.

— Gaat het om lord Fauntleroy ? vroeg meneer Hobbs.

— Hoe weet u dat in vredesnaam ? vroeg Dick, die van verbazing bijna zijn borstel liet vallen. Kent u hem ook ?

— Ik ken hem al zijn hele leven, vertelde meneer Hobbs. We zijn grote vrienden. Kijk, dit heb ik als afscheid van hem gekregen. In de kast heeft hij zelfs laten graveren : « Als u dit leest, denk dan aan mij. » Ik zal hem nooit vergeten. En ik kan je wel vertellen dat ik hem enorm mis.

— Ik heb nog nooit zo'n lief ventje meegemaakt, verklaarde Dick.

Ze hadden elkaar duidelijk heel veel te vertellen. Meneer Hobbs stelde Dick voor binnenkort naar zijn zaak te komen, waar ze vrijuit konden praten. Dat beviel Dick enorm. Per slot van rekening was hij maar een gewone knul van de straat. Hij was dan wel een goede, eerlijke jongen, maar uitgenodigd worden bij een alom goed bekendstaande winkelier met een grote kruidenierszaak, die een paard en wagen bezat, was voor hem toch een hele belevenis.

— Weet je iets over graven en kasteelheren? vroeg meneer Hobbs.

— Er staat iets over hen in « De Penny Story Gazette, »antwoordde Dick. Het artikel heet « De

113

met bloed besmeurde kroon, of de wraak van gravin May. »

— Neem die krant dan mee als je komt, zei meneer Hobbs. Neem alles mee wat je vindt over graven en is dat er niet, over hertogen en markiezen.

Toen Dick zijn bezoek bracht aan meneer Hobbs, nodigde de kruidenier hem uit te gaan zitten en een appel te pakken uit de ton die vlakbij de jongen stond. Vervolgens begonnen ze te praten over de kranten die Dick had meegebracht en over de hoge Engelse kringen.

Meneer Hobbs nam een paar trekjes van zijn pijp en zei toen tegen Dick :

— Zie je die kerven op die kruk ? Die heeft hij erin gemaakt met zijn bungelende voeten. Soms kijk ik er erg lang naar. Het is nog maar zo kortgeleden dat hij daar zat. Hij at beschuiten uit die trommel en appels uit die ton. En dan te weten dat hij nu lord is en op een kasteel woont.

Het bezoek deed meneer Hobbs goed. Samen aten ze sardines, kaas en beschuiten, waarbij ze een goed glas bier dronken.

— Op de gezondheid van ons vriendje, zei de kruidenier, zijn glas heffend. Ik hoop dat hij al die graven, al die lui van adel, een paar goede lesjes leert.

— Op ons vriendje ! viel Dick bij.

Na die avond zagen meneer Hobbs en Dick elkaar vaker. De kruidenier nam min of meer weer de draad van zijn leven op en samen lazen ze « De Penny Story Gazette, » om nog meer te weten te komen over lords en graven.

Op een dag ging meneer Hobbs naar een boekwinkel.

— Ik wil graag iets hebben over graven, zei hij.

De bediende scheen er niet veel van te begrijpen.

— Als u niets over graven hebt, geef me dan maar iets over hertogen en markiezen.

Na enig gezoek kwam de bediende aanzetten met een boek dat de titel « De Tower van Londen » had. Het was een boeiend verhaal. Het speelde zich af in de tijd van Mary Tudor, die « Bloody Mary » werd genoemd. De koningin had de gewoonte haar onderdanen te laten executeren of te martelen. Meneer Hobbs begon zich ongerust te maken.

— In Engeland is men niet veilig, zei hij tegen Dick. Lieve deugd, als koninginnen in staat zijn hun onderdanen te laten executeren of te martelen, vraag ik me af wat hem kan gebeuren.

— Tja, zei Dick, die ook wel een beetje ongerust was geworden, maar weet u, die koningin is er momenteel niet meer. De koningin die nu Engeland regeert heet Victoria.

— Dat is waar, zei meneer Hobbs en veegde het zweet van zijn voorhoofd. In de kranten wordt niet gesproken over galgen of martelkamers. Maar toch is het niet goed voor hem om bij die vreemde mensen te wonen.

Meneer Hobbs maakte zich een tijdje erg ongerust, tot hij een brief ontving van Cedric, waaruit bleek dat het heel goed met hem ging. Dick had ook een brief ontvangen en ze lazen en herlazen elkaars brieven, tot ze zelf de pen pakten om de kleine lord terug te schrijven.

Dick deed erg lang over zijn brief, omdat hij, zoals hij aan meneer Hobbs uitlegde, heel weinig onderwijs had gehad. Hij vertelde over Ben, zijn oudste broer, die na de dood van hun moeder voor hem had gezorgd. Zijn vader was jaren daarvoor al gestorven. Daardoor had Dick al heel jong zijn eigen kostje moeten verdienen.

— En, ging Dick verder, toen kreeg Ben behoefte aan een echt gezin. Hij had altijd netjes opgepast en op het moment dat hij een baan kreeg in een winkel, besloot hij te trouwen. Maar helaas liep hij tegen een heks van een vrouw op. Mina was lui en 's morgens wilde ze al de straat op in mooie kleren. In huis was het altijd een rommeltje. Als Ben er wat van zei werd ze woedend. Ze kregen een kind, een jongetje, maar dat was net als zijn moeder: hij gilde om niets. Eens gooide Mina woedend een bord naar mijn hoofd, maar ik bukte me en het raakte het kind. Het had een diepe snee in zijn kin en de dokter zei dat het daar zijn hele leven een litteken aan zou overhouden. Altijd mopperde Mina dat Ben niet genoeg verdiende. Ben werd het zo beu, dat hij samen met een vriend naar het Westen trok om op een ranch te werken. Hij was nog geen week weg, toen ik 's avonds doodmoe thuiskwam en het huis gesloten vond. Ze was er vandoor gegaan, samen met het kind. Men vertelde me dat ze naar Engeland was vertrokken om kindermeid te worden. Voorzover ik weet heeft Ben nooit meer iets van haar gehoord. Als ze zich niet woedend maakte was ze best een aardige vrouw. Ze had donkere ogen en lang zwart haar. Het schijnt dat ze uit Italië afkomstig was. Ze was me er eentje, hoor !

Dick sprak vaak met meneer Hobbs over zijn broer Ben, die nog steeds in Californië zat, en over zijn vrouw Mina.

— Die hadden niet moeten trouwen, oordeelde meneer Hobbs, terwijl hij zijn pijp stopte. Uit trouwen komt niets goeds.

Terwijl hij een lucifer zocht zag hij op de toonbank een brief liggen.

— Hé, de postbode is geweest, dat heb ik niet gemerkt, zei hij.

Hij pakte de brief en bekeek de enveloppe.

— Een brief van HEM, riep hij vrolijk uit.

Meneer Hobbs begon te lezen.

« Beste meneer Hobbs,
Ik heb u iets heel vreemds te vertellen, dat u vast zal verbazen. Het is een vergissing geweest : ik ben geen lord en later zal ik ook geen graaf worden. Er is een dame die getrouwd was met mijn oom Bevis en zij heeft een jongetje. Dat is nu lord Fauntleroy, want zo is de wet in Engeland. Het is de zoon van de oudste zoon, die na de dood van zijn vader en grootvader graaf wordt. Mijn grootvader leeft nog, maar mijn oom Bevis is dood en dus wordt zijn zoon lord Fauntleroy. Ik niet, want mijn vader was de jongste zoon. Ik heet nu weer Cedric Errol, net als in New York. Alles is nu van dat jongetje. Ik dacht eerst dat ik hem ook mijn pony en het wagentje moest geven, maar mijn grootvader zei dat dat niet

nodig was. Mijn grootvader vindt het heel erg vervelend. Ik geloof dat hij niet veel van de vrouw van mijn oom Bevis houdt. Misschien denkt hij dat Liefste en ik erg verdrietig zijn, omdat ik nooit graaf zal worden. Eigenlijk zou ik best graag graaf zijn geworden, want het kasteel is erg mooi en ik houd van iedereen. Als je rijk bent, kun je heel veel voor anderen doen. Ik ben nu niet meer rijk en zal later een vak leren om voor Liefste te zorgen. Ik ga aan meneer Wilkins vragen mij te leren voor paarden te zorgen, dan kan ik stalknecht of koetsier worden.

De dame is samen met haar zoontje op het kasteel geweest, waar ze heeft gesproken met meneer Havisham. Ik geloof dat ze boos was op grootvader, maar grootvader was ook vreselijk boos op haar. Ik heb hem nog nooit zo woedend gezien. Ik schrijf u dit allemaal, beste meneer Hobbs, omdat ik weet dat dit alles u interesseert en Dick ook. Nu moet ik eindigen.

Uw oude vriend

Cedric Errol (niet lord Fauntleroy)»

— Is nu alles afgelopen? vroeg Dick.

— Ik zeg je dat het afgesproken werk is! riep de kruidenier woedend uit. Die adellijke heren gunnen hem zijn recht niet omdat hij een Amerikaan is. Door de opstand hebben ze iets tegen Amerikanen en nu wreken ze zich. Heb ik je niet gezegd dat hij daar niet veilig is!

Meneer Hobbs begon zich steeds meer op te winden.

— Ze hebben een complot gesmeed om hem zijn

geld en zijn goed af te nemen. Zo is het!

Dick wist er niets tegenin te brengen. Het nieuws had ook hem in de war gebracht. Eerst wel een lord, dan geen lord... Hij begreep er niets van.

Nog een hele poos zaten ze die avond bij elkaar, maar praten deden ze niet veel. Ieder was met zijn eigen gedachten bezig.

Toen Dick eindelijk naar huis ging, liep meneer Hobbs een eindje met hem mee.

Op de terugweg kwam de kruidenier langs het lege huis en volgens zijn gewoonte bleef hij stilstaan en keek langer dan anders naar het bord, waar « Huis te huur » opstond. Zijn pijp rokend liep hij verder, maar zijn onrust kon hij niet kwijtraken.

Hoofdstuk XII

DE MEDEDINGER

Enkele dagen na het grote diner op Dorincourt wist heel Engeland het merkwaardige verhaal van Cedric Errol. Daar hadden de kranten voor gezorgd. De mensen spraken er druk over en maakten allerlei gissingen over de afloop van deze geschiedenis. Ze wisten dat Cedric, het Amerikaanse jongetje, naar Engeland was gehaald om lord Fauntleroy te worden. Iedereen die hem kende hield van hem, omdat hij goed en vriendelijk was. De oude graaf, zijn grootvader, was trots op zijn erfgenaam geweest, maar hij hield het kind gescheiden van zijn moeder, omdat kapitein Errol destijds met haar was getrouwd, zonder dat zijn vader hem toestemming had gegeven. En nu was ineens de vrouw van Bevis, de eerste lord Fauntleroy, opgedoken. Ze had haar papieren laten zien en die leken in orde. Zij eiste nu voor haar zoon de titel van lord op. Maar de oude graaf, zo werd vermeld, nam geen genoegen met de zaak zoals die er nu voorstond. Hij was van plan de rechtbank erin te mengen en door een proces uit te laten maken of haar zoontje werkelijk recht had op de erfenis. De advocaat van de graaf twijfelde eraan of de vrouw wel in alle opzichten de waarheid had gesproken.

Op de markt van Erleboro kwamen de dorpsbewoners samen om over de geschiedenis te praten en te gissen naar de ontknoping. De boerinnen nodigden elkaar uit op de thee, om op de hoogte te komen van de laatste nieuwtjes. De hele dag stond het winkeltje van juffrouw Dibble vol klanten. De mensen dachten dat zij er meer over zou weten en dat bleek ook zo te zijn, want juffrouw Dibble babbelde de hele dag over deze zaak.

Zelfs de New Yorkse kranten hadden het verhaal overgenomen en tot zijn grote verbazing las meneer Hobbs alles over zijn jonge vriendje in het ochtendblad.

Het is te begrijpen dat de gebeurtenissen, die zoveel belangstelling opwekten, de bewoners van het kasteel helemaal uit hun gewone doen hadden gebracht. Reeds vroeg in de ochtend was meneer Havisham bij de graaf in de bibliotheek. De bedienden zaten bij elkaar op de benedenverdieping en vergaten hun werk. Het stalpersoneel had een kring om Wilkins gevormd, die telkens opnieuw vertelde dat hij nog nooit een jongeheer had leren rijden, die het zo snel onder de knie had en zoveel durfde.

Er was er slechts één die kalm bleef en dat was lord Fauntleroy, die misschien niet eens meer lord was. Toen de graaf hem vertelde wat er gebeurd was, zat hij met zijn arm om een knie geslagen op een hoge stoel. Zo zat hij wel vaker als hij ingespannen naar iets luisterde.

— Ik krijg zo'n raar gevoel, zei hij tenslotte, een heel raar gevoel.

De graaf keek het ventje zwijgend aan. Hijzelf kreeg ook een vreemd gevoel, vreemder dan hij in lange jaren had meegemaakt. Dat gevoel nam toe, toen hij de droevige uitdrukking zag op het anders zo vrolijke gezichtje.

— Zullen ze Liefste haar huis en haar rijtuig ook afnemen? vroeg hij ongerust.

— Nee, zei de graaf op besliste toon, haar kunnen ze niets afnemen.

— Oh, gelukkig! riep Cedric opgelucht.

Hij keek zijn grootvader aan en in zijn ogen kwam een vochtige glans.

— En... die andere jongen, vroeg hij met trillende stem, wordt die uw jongen, net als ik ben geweest?

— Nee! riep de graaf zo luid en heftig, dat Cedric ervan schrok.

— Nee? riep het kind blij uit, hoeft dat niet?

Cedric sprong van zijn stoel en pakte de hand van

123

zijn grootvader.

— Mag ik altijd uw jongen blijven, net als nu? Hij werd rood van blijdschap.

De graaf keek hem met vreemde, stralende ogen aan.

— Jij blijft mijn kleine jongen zolang als ik leef, zei hij met schorre stem. Lieve jongen, ik heb het gevoel dat jij het enige kind bent dat ik ooit heb gehad.

Cedric werd nog roder. Hij keek zijn grootvader lang en doordringend aan.

— Heus, grootvader? Nou, dan kan het me niets schelen of ik graaf wordt of niet. Ik dacht dat de nieuwe lord Fauntleroy helemaal in mijn plaats kwam. Daarom kreeg ik ook zo'n vreemd gevoel, weet u?

De graaf legde een hand op de schouder van zijn kleinzoon.

— Hij is hier nog niet, zei hij. We zullen tot het laatste toe volhouden. Ik kan nog maar niet geloven dat zij ergens recht op hebben.

— Maar wat hindert dat nu? vroeg Cedric.

— Je kunt het niet begrijpen. Het zou vreselijk zijn. Jij bent...

De graaf zweeg plotseling en Cedric keek hem verbaasd aan.

— Ga nu maar spelen. Later zal ik het je wel uitleggen.

Nee, de graaf kon het moeilijk onder woorden brengen. Hij kon toch moeilijk tegen het knulletje zeggen : « Jij bent het die mij moet opvolgen, omdat je eerlijk en goedhartig bent. Jij zult goedmaken wat ik heb bedorven... »

Tot nu toe was het nog niet echt tot hem doorgedrongen dat hij zielsveel van zijn kleinzoon hield en dat hij enorm trots op het kind was. Maar nu de omstandigheden waren veranderd, wist de graaf dat hij maar één ding wenste en dat was dat zijn kleine, dappere Cedric ooit zijn plaats zou innemen. Hij was vastbesloten daarvoor te strijden met alle middelen die hij bezat.

Een dag of wat na haar bezoek aan meneer Havisham had de vrouw die beweerde lady Fauntleroy te zijn, zich met haar kind aangemeld op het kasteel.

Men had haar niet ontvangen.

Thomas had haar gezegd dat de graaf haar niet wilde zien en dat zijn advocaat haar zaak zou onderzoeken.

De vrouw was boos weggegaan.

Even later besprak Thomas het voorval met de andere bedienden. Hij zei dat hij genoeg mensen uit hogere kringen had bediend, om in één oogopslag een echte lady te herkennen. Ze mochten hem ophangen als deze vrouw er één was.

— Daarentegen, voegde hij eraan toe, is de dame die op Court Lodge woont, Amerikaanse of niet, een dame zoals dat hoort. Dat zie je meteen. Dat heb ik trouwens tegen Henry gezegd, toen ik haar voor het eerst zag.

De bezoekster was dus met gemengde gevoelens verdwenen. Meneer Havisham had opgemerkt dat de vrouw, ondanks haar woede, veel minder zelfverzekerd overkwam dan de eerste keer dat hij haar zag. Het leek of ze uit haar rol viel en een karakter moest spelen dat niet bij haar paste, nu ze onverwacht werd tegengewerkt.

Op een avond was de advocaat aan het praten met mevrouw Errol.

— Die vrouw komt uit een laagstaand milieu, verklaarde hij. Zij heeft geen opleiding genoten en heeft zeker geen ervaring om op gelijke voet te praten met mensen die hebben gestudeerd. Ze was ervan ondersteboven dat ze niet werd toegelaten op het kasteel. Daardoor raakte ze haar zekerheid kwijt. Ze werd woedend, maar was ook geïntimideerd. Omdat de graaf haar niet wilde ontvangen, heb ik haar aangeraden naar « Het Wapen van Dorincourt » te gaan. De graaf stemde toe om haar daar te ontmoeten. Bij dat bezoek was ik ook aanwezig. Bij het binnenkomen stelde de graaf zich hooghartiger op dan ik ooit van hem heb meegemaakt. Hij nam haar minachtend van kop tot teen op, zonder een woord te zeggen. Daarop begon de vrouw op laagstaande manier te schelden en zelfs te dreigen. Toen ze eindelijk haar mond hield, zei de graaf : « U beweert de vrouw te zijn geweest van mijn tweede zoon. Als dat zo is en de papieren onomstotelijk bewijzen dat u gelijk hebt, staat de wet aan uw kant. In dat geval wordt uw zoon lord Fauntleroy. Maar u kunt erop rekenen dat de zaak eerst behoorlijk onderzocht zal worden. Als u in uw recht staat, zal alles in orde worden gemaakt en ontvangt u een lijfrente. Maar onthoud één ding : zolang ik leef, wil ik noch u, noch uw zoon, onder mijn ogen hebben, want u bent inderdaad het soort vrouw waaraan mijn zoon Bevis zich had kunnen binden. » Daarna draaide hij zich om en ging weg.

Een paar dagen later hield een rijtuig stil voor Court Lodge. Het dienstmeisje, dat de graaf zag uitstappen, liep naar de voordeur. Ze liet hem in de zijkamer en holde toen naar de tuin, waar mevrouw Errol zat te lezen.

— De graaf, mevrouw ! De graaf is er om u te spreken !

Mevrouw Errol was verbaasd. Ze vroeg zich af wat er gebeurd kon zijn. Waarom kwam de graaf persoonlijk ? Met een snel kloppend hart ging ze de zitkamer in.

De graaf stond op en boog.

— Mevrouw Errol, geloof ik, zei hij.

— Ja, milord, antwoordde ze.

— Ik ben de graaf van Dorincourt. Ik ben... hier gekomen...

De graaf zweeg. Hij kon niet verder spreken. Mevrouw Errol voelde medelijden met de oude man.

— Ik... ik heb u niet goed behandeld, bracht hij er met moeite uit... Het spijt me...

— Gaat u toch zitten, zei mevrouw Errol zacht.

De graaf ging zitten en keek mevrouw Errol aan.

— Wat lijkt Cedric toch veel op u.

— Dat is zo, milord, antwoordde ze, maar gelukkig ook veel op zijn vader.

Zoals lady Lorridale al had opgemerkt, had de

vrouw een beschaafde stem en eenvoudige, keurige manieren.

— Ja... zei de bezoeker schor. Hij lijkt ook veel... op mijn zoon.

Terwijl de graaf aan zijn snorpunten draaide, begon hij aan een ander onderwerp.

— Weet u waarom ik hier ben?

— Meneer Havisham heeft me verteld dat de titel wordt opgeëist.

— De rechten van uw zoon worden aangevochten, zei de graaf. De zaak zal nauwkeurig worden uitgezocht. Ik wil uw zoon zo goed mogelijk verdedigen. Ik zou het vreselijk vinden als hij zijn rang zou moeten afstaan. Bovendien is die vrouw...

Hij zweeg.

— Milord, misschien houdt ze evenveel van haar zoon als ik van de mijne, zei mevrouw Errol rustig. Als zij inderdaad de vrouw van uw zoon Bevis was, is haar kind lord Fauntleroy en niet Cedric.

Ze scheen net zo min als haar zoon bang te zijn voor de gevreesde oude man. De graaf was er diep in zijn hart blij om dat ze hem haar mening durfde geven.

— Ik neem aan dat u toch liever ziet dat uw zoon graaf van Dorincourt wordt.

— Ja, het is natuurlijk een groot voorrecht graaf van Dorincourt te worden, antwoordde ze. Maar wat in mijn ogen nog meer waarde heeft, is dat Cedric wordt wat zijn vader altijd is geweest: eerlijk en trouw.

— Dat vormt een schril contrast met zijn

grootvader, vindt u niet?

— Ik heb niet de eer zijn grootvader te kennen, zei mevrouw Errol, maar ik weet hoe mijn zoon over hem denkt. Cedric houdt veel van hem.

— Denkt u dat hij ook veel van hem had gehouden als hij had geweten waarom u niet op het kasteel woont?

— Nee, dat denk ik niet. Daarom heb ik ook niet gewild dat hij de reden te weten kwam.

— Er zijn weinig vrouwen te vinden die reageren zoals u, zei de graaf, terwijl hij weer aan zijn snorpunten begon te draaien. Ja, ging hij verder, hij houdt van mij en ik houd van hem. Daarvoor heb ik me nog nooit met iemand verbonden gevoeld, maar hij beviel me meteen. Ik ben oud en moe, maar hij heeft me een reden gegeven om te leven. Ik ben trots op hem en de gedachte dat hij een keer mijn plaats aan het hoofd van mijn bezittingen zou innemen, deed me goed. Momenteel voel ik me ongelukkig, heel ongelukkig.

Zijn trots weerhield hem er niet van dat zijn stem haperde en zijn handen beefden. Het leek wel of er tranen in zijn ogen stonden.

— Misschien ben ik wel naar u toegekomen, juist omdat ik me zo ongelukkig voel. Eerst haatte ik u en vervolgens was ik jaloers, omdat uw zoon zoveel van u hield. En toen stak die verschrikkelijke geschiedenis de kop op. Toen ik die onmogelijke vrouw zag, die zegt de echtgenote van mijn zoon Bevis te zijn geweest, had ik het gevoel dat het mij goed zou doen u te bezoeken. Ik moet u opbiechten dat ik erg vooringenomen was. Ik heb erg onjuist gehandeld. U lijkt op het kind dat de vreugde van mijn leven is geworden. Ik ben gekomen omdat hij op u lijkt, omdat hij van u houdt en ik van hem. Wilt u me alstublieft vergeven?

Mevrouw Errol zag zijn ontroering en las het verdriet op zijn gezicht.

— Blijft u even rustig zitten, zei ze vriendelijk. U hebt de laatste tijd zoveel zorgen gehad, dat u wel erg moe moet zijn.

De graaf keek de vrouw dankbaar aan. Ze had inderdaad dezelfde manier van handelen als zijn kleinzoon. Onder invloed van de vrouw werd hij wat minder somber gestemd. Nog een tijdje spraken ze over Cedric en de graaf bezwoer haar nogmaals dat hij al het mogelijke wilde doen om hem de titel te laten behouden. Meneer Havisham was een goede advocaat en hij had vreemde tegenstrijdigheden ontdekt. De graaf zei te hopen dat hij er de bewijzen voor zou vinden.

Even later keek hij de kamer rond en vroeg :

— Bevalt het huis u ?

— Buitengewoon, milord, antwoorddde ze.

— U hebt het heel gezellig ingericht. Kom, ik neem afscheid van u, mevrouw. Mag ik nog eens komen praten ?

— Zo vaak u wilt, antwoordde mevrouw Errol hartelijk.

Daarop verliet de graaf het huis en ging naar zijn rijtuig dat wachtte.

Hoofdstuk XIII

DICK, DE GROTE REDDER

Zoals vermeld kwam het nieuws over de «sensationele zaak van Dorincourt» ook in de Amerikaanse kranten terecht. De ene na de andere kolom werd er over volgeschreven. Het opwindende verhaal werd opgeluisterd met pittige details.

De vrienden in Amerika maakten zich met de dag ongeruster. Meneer Hobbs las zoveel tegenstrijdige berichten, dat hij er helemaal van in de war raakte. Zijn ochtendblad had het bij het ene bericht over Cedric niet gelaten. Al snel waren ze met nieuwe bijzonderheden gekomen, waardoor de kruidenier helemaal van streek was. Eén van de kranten vermeldde, dat Cedric een jongetje was dat nog niet kon lopen, een andere schreef dat lord Fauntleroy een student was die in Oxford studeerde en Griekse gedichten schreef. Hij zou verloofd zijn met een beeldschone dochter van een hertog en er werd zelfs beweerd dat hij binnenkort zou trouwen.

Wat nergens werd vermeld was dat Cedric een leuk knulletje was van ruim acht jaar, met een blonde krullenkop. Eén krant schreef zelfs dat er geen enkele verwantschap bestond tussen hem en de graaf van Dorincourt en dat hij een bedrieger was, die ooit kranten had verkocht in de straten van New York. Zijn moeder zou één van de zaakwaarnemers van de graaf van Dorincourt ervan hebben weten te overtuigen dat haar zoon er recht op had de oude familienaam te dragen. Ook de nieuwe lord Fauntleroy en zijn moeder werden steeds op een andere manier beschreven. De ene keer was zij een zigeunerin, dan weer een toneelspeelster en dan weer een Spaanse dame. Iedereen was het er wel over eens dat zij de graafs grootste vijandin was en dat hij de erfgenaam alleen zou erkennen, als hij niet meer anders kon. Men had in de papieren die zijn moeder had gegeven tegenstrijdigheden aangetroffen en dat had tot gevolg dat er een langdurige rechtszaak zou volgen.

Meneer Hobbs las elk bericht van de eerste tot de laatste regel. Op een avond kwam Dick langs en ze spraken opgewonden over de laatste berichten. Ze hadden inmiddels wel in de gaten dat de graaf in Engeland een heel belangrijk persoon was. Hij was ongelooflijk rijk, bezat veel grond en een schitterend kasteel. De kruidenier en Dick verbaasden zich steeds meer.

— We moeten iets doen, zei meneer Hobbs. We zullen hem een brief schrijven. Dat zal hem goed doen, want hij zal het al ellendig genoeg hebben bij dat leugenachtige volkje.

Beide mannen begonnen te schrijven en toen ze klaar waren, lieten ze elkaar hun brief lezen.

Dit las meneer Hobbs in de brief van Dick : « Beste vriend,

Ik heb je brief ontvangen en meneer Hobbs ook. We vinden het verschrikkelijk dat alles tegenloopt, maar we hopen dat jij je flink zal houden. Laat je de kaas niet van je brood eten. Als jij je ogen niet goed openhoudt, zullen die smerige dieven je alles afnemen wat ze kunnen. Deze brief dient om je te zeggen dat ik niet vergeet hoe jij me hebt geholpen. Als het daar niet meer gaat, kom dan terug, dan kunnen we samenwerken. Mijn zaak loopt prima en ik zal ervoor zorgen dat jij ook goed terecht komt. Als er ook maar iemand is die jou iets wil doen, krijgt hij met Dick te maken. Dat was alles wat ik je momenteel te vertellen heb.

Dick »

En dit las Dick in de brief van meneer Hobbs : « Waarde heer,

Uw brief heb ik ontvangen en ik moet zeggen dat uw zaken er slecht voorstaan. Ik denk dat het afgesproken werk is en dat degenen die dat hebben gedaan, goed in de gaten moeten worden gehouden. Ik schrijf u dit om u twee dingen te laten weten. Ten eerste zal ik de zaak eens nauwkeurig uitzoeken. Wees maar gerust en houd moed. Ik zal naar een advocaat gaan en doen wat ik kan. Ten tweede wil ik zeggen dat, als het ergste gebeurt en al die graven bij elkaar ons te machtig zijn, u, als u groot bent, mijn compagnon kunt worden. U kunt altijd een tehuis en een baan vinden bij uw oude vriend. Ik groet u hartelijk.

Silas Hobbs »

— Ziezo, zei meneer Hobbs, als hij geen graaf kan worden, is hij toch verzorgd.

— Zo is het, vond Dick. Ik laat hem nooit in de steek. Hij is de fijnste knul die ik ooit ben tegengekomen.

De volgende dag poetste Dick de schoenen van één van zijn vaste klanten. De man was een beginnend advocaat en niet erg rijk. Maar hij was intelligent, een doorzetter en had een prettig karakter. Zijn kantoor stond vlakbij de plaats waar Dick zich aanbood als schoenpoetser. Elke ochtend kwam de advocaat langs om zijn schoenen te laten poetsen en altijd had hij een vriendelijk woord voor Dick.

Die ochtend, terwijl hij met zijn voet op de doos rustte, bladerde hij een geïllustreerd blad door, waarin grote portretten waren afgebeeld. Toen de jongen klaar was, reikte de advocaat hem het blad aan en zei :

— Hier Dick, dat is net iets voor jou. Bekijk het maar eens. Dat is echt een blad om door te snuffelen als je in een duur restaurant zit. Er staat een afbeelding in van een Engels kasteel en een portret van de schoondochter van die Engelse graaf, waar al zoveel over te doen is geweest. Je moet op de hoogte blijven van wat er op de wereld gebeurt, Dick. Maak kennis met de graaf van Dorincourt en lady Fauntleroy.

Maar Dick hoorde al niet meer wat de advocaat zei. Hij had het blad even ingekeken en werd doodsbleek.

— Wat is er met jou aan de hand, Dick ?

De jongen zag eruit alsof hij een spook had gezien. Hij wees naar het portret waaronder stond : « De moeder van de eiser, lady Fauntleroy. » Het was een niet onknappe vrouw, met grote, donkere ogen en zwart haar, dat in vlechten om haar oren was gedraaid.

— Die ! riep Dick uit. Ik ken haar. Meneer, ik ken die vrouw !

De advocaat begon te lachen.

— Nu moet je ophouden, Dick. Ik wist niet dat jij kennissen had onder de Engelse adel. Waar heb je haar voor het laatst gezien ? In Parijs, Rome ?

Maar Dick had helemaal geen zin om grapjes te maken. Snel borg hij zijn borstels en het andere gereedschap op. Hij had iets te regelen.

— Het doet er niet toe waar, zei hij. Maar ik ken haar en nu weet ik wat ik vanmorgen te doen heb. In vijf minuten was zijn bedrijfje gesloten. Hij rende naar meneer Hobbs, waar hij even later buiten adem aankwam. Hij had het geïllustreerde blad in een hand en kon bijna geen woord uitbrengen.

Dick sloeg het blad open, gooide het op de toonbank en wees naar het portret.

— Hé, zei meneer Hobbs, wat is er aan de hand?

— Kijk, hijgde Dick. Daar, in het blad!

— Nou, en dan?

— Mina! bracht Dick er met moeite uit. Dat is niet de vrouw van een lord. Dat was de vrouw van mijn broer Ben. Ik ben er zeker van! Dat is Mina!

Meneer Hobbs liet zich in de eerste de beste stoel vallen.

— Ik zei toch al dat het afgesproken werk was! riep hij uit. Dat hebben ze hem aangedaan omdat hij een Amerikaan is!

— Dat is echt een streek voor haar, zei Dick walgend. Ik wil wedden dat zij het allemaal verzonnen heeft. Reken maar dat ik gek stond te kijken toen ik dat blad in handen had. In één van de kranten stond dat de zoon van de eiseres een litteken op zijn kin had. Ik stond er toen niet bij stil, maar nu begrijp ik het. Die kleine jongen is net zo min een lord als u of ik. Hij is gewoon de zoon van mijn broer Ben, die destijds gewond raakte door een bord.

Dick had een scherpe geest en wist razendsnel na te denken. Dat had hij op straat wel geleerd.

— Ik weet iets, zei hij. Ik schrijf dadelijk een brief aan Ben en dit portret doe ik erbij. Die zal ook onmiddellijk zien dat het zijn weggelopen vrouw is.

Meneer Hobbs vond dat een uitstekend idee en stelde voor dat hij op zijn beurt een brief aan de kleine lord en aan de graaf zou sturen.

Beiden waren ingespannen bezig, toen Dick opeens een heel ander idee kreeg.

— Hé! zei hij. Die meneer die mij dat blad heeft gegeven, is advocaat. Advocaten weten veel en kunnen zulke zaakjes gemakkelijk uitzoeken.

Daar was de kruidenier het meteen mee eens.

— Je hebt gelijk, Dick. Dit is een zaak voor een advocaat.

Hij vroeg een buurman of die zolang op de winkel wilde passen en samen gingen ze naar het kantoor van meneer Harrison, de jonge advocaat.

Dick deed het woord, want meneer Hobbs was niet kalm genoeg om een samenhangend verhaal te vertellen. De advocaat keek vreemd op toen het tweetal binnenkwam. Dick vertelde over een jongetje dat plotseling lord was geworden. Meneer Harrison vond dat een eigenaardig verhaal, maar hij liet de jongen rustig uitvertellen. Plotseling ging hem een lichtje op.

— Verhip, het gaat dus over die affaire waar al zoveel over te doen is geweest! Over die kleine lord Fauntleroy! In ieder geval loop ik weinig risico als ik me met die zaak bezighoud. Volgens de kranten was er iets vreemds aan de hand in verband met dat kind. Het schijnt dat de moeder zich al een paar keer heeft tegengesproken betreffende zijn leeftijd. Het beste lijkt me dat we zowel aan de broer van Dick, als aan de graaf van Dorincourt schrijven. Gaan jullie maar naar huis. Zodra er nieuws is zal ik jullie laten roepen. Dat beloof ik.

Nog voor de avond waren beide brieven in tegengestelde richting verzonden. Eén ging vanuit de haven van New York naar Engeland en de andere met de posttrein naar Californië. De eerste was geadresseerd aan de Weledele heer T. Havisham en de tweede aan Benjamin Tipton.

Die avond bleven meneer Hobbs en Dick tot middernacht in de achterkamer met elkaar praten.

Hoofdstuk XIV

DE ONTMASKERING

Wat kunnen er soms toch ongelooflijke dingen gebeuren! Het kleine jongetje, dat ooit met bungelende benen op de kruk van de kruideniers-zaak van meneer Hobbs had gezeten, was van het ene op het andere moment lord geworden. Van een eenvoudige jongen uit New York was hij ineens de erfgenaam van een graaftitel, een groot fortuin en vele bezittingen geworden. En nu was de klok plotseling teruggedraaid. De kleine lord werd ineens bestempeld tot een indringer, zonder enig vermogen, die door een speling van het lot met een fortuin had gespeeld waarop hij totaal geen recht had.

Hoe vreemd het ook lijkt, maar ook voor deze omwenteling was maar weinig tijd nodig geweest. Het recht te doen zegevieren bleek evenwel heel wat meer voeten in de aarde te hebben.

De vrouw die beweerde lady Fauntleroy te zijn had dan misschien weinig opleiding gehad, maar ze was wel slim en geslepen. De trouwakte waaruit moest blijken dat ze met Bevis getrouwd was, zag er authentiek uit. Meneer Havisham nam aan dat het inderdaad klopte. Maar toen de vrouw merkte dat ze niet zomaar haar zin kreeg, wond ze zich vreselijk op en begon ze zich te vergissen. Ze vermeldde tot een paar maal toe een andere geboortedatum van haar zoontje. Meneer Havisham kreeg argwaan en vertelde dat aan de graaf. Die droeg hem op de zaak nog nauwkeuriger te onderzoeken.

De hele affaire kwam in een ander licht te staan, toen de brieven van de jonge advocaat en meneer Hobbs aankwamen.

De graaf en zijn advocaat sloten zich op in de bibliotheek, om te bespreken hoe ze de hele zaak nu moesten aanpakken.

— Na een paar keer met die vrouw te hebben gesproken kreeg ik argwaan, begon meneer Havisham. Ik kreeg de indruk dat ze me de waarheid niet vertelde. Volgens mij was het kind veel ouder dan ze beweerde. En inderdaad, toen de geboortedatum van het kind ter sprake kwam, begon ze zich tegen te spreken. Ze probeerde de zaak weer recht te zetten, maar ik was gaan twijfelen. Wat er in die brieven staat die we hebben ontvangen, maakt wel duidelijk dat ik gelijk had. Het lijkt mij het beste dat we onmiddellijk een telegram naar Amerika sturen, waarin we verzoeken of de broers Dick en Ben Tipton naar Engeland willen overkomen. We gaan met die twee onverwachts op bezoek bij die vrouw en waarschijnlijk schrikt ze dan zo dat ze door de mand valt.

Er ging een telegram naar Amerika, maar het zou nog wel een tijdje duren, voor de broers in Engeland zouden aankomen. Om bij de vrouw geen argwaan te wekken, ging meneer Havisham door met de besprekingen. Ze logeerde in « Het Wapen van Dorincourt » en regelmatig ging de advocaat haar daar bezoeken. Op zekere dag had hij gezegd dat hij de volgende middag terug zou komen voor de eindbespreking. Ook de graaf zou daarbij aanwezig zijn.

Op het afgesproken uur kwam meneer Havisham haar kamer binnen, gevolgd door een grote man met een eerlijk gezicht, een flinke, brede jongeman en de graaf.

Zodra de vrouw de mannen zag, sprong ze op en gaf een gil van schrik. In haar gedachten waren de twee mannen die nu in haar kamer stonden, mijlenver verwijderd van Engeland. Nooit was het in haar hoofd opgekomen ze nog eens terug te zien.

Dick grinnikte. Hij liep naar haar toe en zei :

— Hallo Mina, hoe gaat het met je ?

Ben stond haar zwijgend aan te kijken.

— Kent u deze vrouw ? vroeg meneer Havisham, waarbij hij afwisselend van de één naar de ander

141

keek.

— Ja, zei Ben. Ik ken haar en zij herkent mij ook.

Hij liep naar het raam en ging met zijn rug naar haar toe staan, als wilde hij haar niet zien. De vrouw, die nu ontmaskerd was, begon woedend te schreeuwen, maar dat hadden Ben en Dick jaren geleden al vaak genoeg meegemaakt. Ze begon te schelden en beledigde iedereen. Dick begon nog harder te grinniken en Ben nam zelfs niet de moeite zich om te draaien.

— Ja, ze is het, zei Ben. Ik kan wel een half dozijn mensen meebrengen, die dat voor de rechtbank kunnen bevestigen. Haar vader was een eerlijke, hardwerkende handarbeider, maar haar moeder was net als zij. Haar moeder leeft niet meer, maar haar vader wel. Hij zou zich schamen als hij dit zou weten. Neemt u maar van mij aan, meneer Havisham, dat dit de vrouw is waarmee ik getrouwd ben.

Daarop liep hij met gebalde vuisten op Mina toe en vroeg bars :

— Waar is mijn kind ? Ik neem hem mee, begrepen ? Ik wil niet dat hij nog één dag langer bij jou blijft.

Bij deze luid uitgesproken woorden ging de deur van een zijkamer open en verscheen er een kleine jongen. Hij was niet uitgesproken mooi, maar had een lief gezichtje en leek veel op Ben. Op zijn kin was duidelijk een driehoekig litteken te zien.

Ben ging naar hem toe en nam hem bij de hand.

— Ja, zei hij tegen de advocaat, dit is mijn zoon,

meneer.

Daarop wendde hij zich tot het kind.

— Tom, ik ben je vader, jongen. Ik ben gekomen om je te halen. Waar is je muts? Dan gaan we.

De jongen wees naar een stoel waarop zijn muts lag. Hij was blij dat hij weg mocht. De laatste tijd had hij geen prettig leventje gehad. Zijn moeder had hem op zijn hart gebonden tegen niemand te zeggen wie zijn vader was. Voor zijn moeder voelde hij maar weinig. Ze had hem, zodra ze in Engeland waren aangekomen, naar een vrouw gebracht die voor hem moest zorgen en bemoeide zich nooit met hem. Een paar maanden geleden had ze hem plotseling opgehaald, maar lief was ze nog steeds niet. Daarom was hij maar al te blij weg te mogen gaan.

Ben nam zijn hoed en liep naar de deur.

— Als u me nodig mocht hebben weet u waar u me kunt vinden, zei hij tegen de advocaat.

Hij nam het kind bij de hand en zonder de vrouw nog één blik te gunnen verdween hij. Mina raasde en tierde van woede.

— Ik zou me maar een beetje bedaard houden, zei meneer Havisham. Het heeft weinig zin zo'n spektakel te maken. We zouden genoodzaakt zijn u op te sluiten.

Hij zei het zo kalm en rustig, dat Mina tot bezinning kwam. Ze begreep dat haar oplichterij was doorzien. Ze wierp nog een woedende blik op de advocaat en rende toen de kamer uit, waarbij ze de deur hard achter zich dichtsloeg.

— Ziezo, zei meneer Havisham. Van die vrouw

zullen we geen last meer hebben.

Dat was inderdaad zo. Nog diezelfde dag verliet Mina « Het Wapen van Dorincourt », om de trein naar Londen te nemen, waarna ze nooit meer iets van zich liet horen.

Na dit onderhoud ging de graaf naar zijn rijtuig.

— Naar Court Lodge, beval hij.

Thomas gaf het bevel door aan de koetsier. Hij was ervan overtuigd dat er nu iets heel speciaals zou gebeuren.

Toen het rijtuig voor de woning van mevrouw Errol stilhield, zat Cedric samen met zijn moeder in de huiskamer.

De graaf ging onaangediend naar binnen. Hij liep kaarsrecht en leek een hoofd groter dan een tijdje geleden. Zijn ogen schitterden. De man zag er beslist tien jaar jonger uit. Mevrouw Errol kwam hem bij de deur tegemoet.

— Waar is lord Fauntleroy ? vroeg de graaf. Mevrouw Errol kreeg een vuurrood gezicht.

— Is het lord Fauntleroy, werkelijk? vroeg ze.

— Het is zo, antwoordde de graaf.

Hij pakte mevrouw Errols hand en wenkte Cedric bij hem te komen.

— Fauntleroy, zei hij op eigenaardige schorre toon, zou jij je moeder willen vragen bij ons op het kasteel te komen wonen?

— Cedric sloeg zijn beide armen om haar hals.

— Om bij ons te blijven? juichte de kleine lord.

De graaf en mevrouw Errol keken elkaar aan. De graaf scheen in ernst te spreken en dat was ook zo.

Hij had besloten goede vrienden te worden met de moeder van zijn erfgenaam en kleinzoon.

— Wilt u dat werkelijk ? vroeg mevrouw Errol.

Om de mond van de graaf lag een vriendelijke glimlach.

— Ja, beslist, antwoordde hij. Cedric en ik hebben u eigenlijk altijd al gemist, maar dat besef ik nu pas. Ik hoop dat u het wilt accepteren.

Hoofdstuk XV

DE VERJAARDAG

Ben Tipton was met zijn zoon naar Californië vertrokken, maar hij ging niet met lege handen. Meneer Havisham vertelde hem dat de graaf iets voor zijn kind, dat bijna lord Fauntleroy was geworden, wilde doen. Het leek de graaf het beste voor de jongen een eigen veefokkerij te kopen en Ben daarvan de beheerder te maken. De voorwaarden waren zowel voor de vader als voor de zoon heel aantrekkelijk en Ben aanvaardde ze dan ook met een dankbaar hart.

Tom ging met zijn vader mee en groeide op tot een hardwerkende man. Hij kon goed met zijn vader opschieten en voelde zich gelukkig. Ben vertelde later aan iedereen die het wilde horen dat hij door Tom alle ellende uit het verleden was vergeten.

Meneer Hobbs was samen met de twee broers naar Engeland gekomen. Hij wilde er zeker van zijn dat alles goed zou verlopen. Hij en Dick gingen niet meteen naar Amerika terug. De graaf had besloten dat hij voor de opvoeding van Dick zou zorgen. Per slot van rekening had de jongen het bedrog ontdekt.

Meneer Hobbs had zijn zaak aan een familielid toevertrouwd en zei dat hij geen haast had terug te gaan.

Cedrics negende verjaardag stond voor de deur en op het kasteel zou een groot feest worden gegeven. Dat wilde meneer Hobbs niet missen. De boeren van Erleboro en hun gezinnen waren uitgenodigd en 's avonds zou in het park vuurwerk worden afgestoken.

— Het wordt net als op 4 juli, zei lord Fauntleroy tegen meneer Hobbs. Jammer dat ik niet op 4 juli jarig ben. Dan zou het feest eens zo groot zijn.

Eerlijk gezegd kon de verhouding tussen meneer Hobbs en de graaf niet vriendschappelijk genoemd worden. Maar de graaf had in zijn leven maar heel weinig kruideniers meegemaakt en meneer Hobbs had nog nooit in zijn bestaan contact gehad met een graaf. Ze zagen elkaar weinig en dan werd er nauwelijks gesproken. Misschien kwam dat ook wel omdat meneer Hobbs zich niet helemaal op zijn gemak voelde in dat grote kasteel. Al het moois dat hij zag overblufte hem.

Hij was erg onder de indruk van de toegangspoort met de leeuwen en de lange oprijlaan die naar het kasteel leidde. Ook de terrassen, de brede trap, de kerkers en de stallen vond hij prachtig, maar niets trof hem zo als de schilderijenzaal.

— Het lijkt wel een museum, zei meneer Hobbs, toen hij met Cedric de hoge zaal binnenging.

— Nee, zei Cedric een beetje aarzelend, ik geloof niet dat het een museum is. Grootvader zegt dat het portretten zijn van mijn voorouders. U weet wel, onze overgrootouders.

— Zijn dat je overgrootouders? Zijn er zoveel? Ik had nooit gedacht dat dat mogelijk was. Wat een grote familie!

Hij begreep er niets van en Cedric kon al zijn vragen niet beantwoorden. Daarom riep hij de hulp in van juffrouw Mellon. Zij legde uit dat het om verschillende generaties van Dorincourt ging.

Juffrouw Mellon wist alles van de portretten af. Ze wist door wie ze waren geschilderd, wie ze voorstelden en zelfs de avonturen die de dames en heren in hun prachtige kleding hadden beleefd. Meneer Hobbs was erg onder de indruk van alle geschiedenissen. Hij kwam vaak van « Het wapen van Dorincourt », waar hij logeerde, naar het kasteel, om de schilderijenzaal te bewonderen. Lang bleef hij naar elk portret van de dames en heren kijken.

Het ging zelfs zover, dat hij op zekere dag tegen Cedric zei :

— Ongelooflijk, dat al die mensen graven en gravinnen waren ! Ik geloof dat ik er niets op tegen zou hebben zelf een graaf te worden.

Uiteindelijk bleek dat meneer Hobbs zijn mening over de manier waarop de adellijke stand leefde, moest herzien. Zijn Republikeinse gedachten waren sinds hij de aristocraten, hun kastelen en hun voorouders bezocht, heel wat minder scherp. Hij had zich er helemaal mee verzoend dat de kleine lord ooit graaf zou zijn.

De verjaardag van lord Fauntleroy beloofde een prachtige dag te worden. Onder de bomen van het park waren tenten opgezet. Op de nokken en de torens van het kasteel wapperden vlaggen. Alle dorpelingen kwamen in hun zondagse kleding naar het park om feest te vieren. Niemand wilde het feest missen, want iedereen was blij dat de kleine lord zijn titel behield en de erfgenaam was van het landgoed.

Iedereen wilde hem van dichtbij zien en ook zijn mooie moeder, die zich bij de dorpelingen zo geliefd had gemaakt.

Elke dorpsbewoner voelde zich milder gestemd tegenover de graaf. Dat kwam niet alleen doordat hij toonde veel van het kind te houden, maar ook doordat hij zich met mevrouw Errol had verzoend, die nu op het kasteel woonde. Men vertelde dat hij haar nu erg graag mocht en door de liefde en de sympathie voor de zoon en de moeder een veel prettiger mens was geworden.

In de tenten en de tuinen was het een drukte van belang. Boeren en boerinnen dansten. Jonge meisjes zwierden aan de armen van hun verloofdes en liepen luid lachend de bosjes in. Oude dames met rode omslagdoeken zaten gezellig te keuvelen. Ook op het kasteel was het druk. Veel dames en heren feliciteerden Cedric en maakten kennis met mevrouw Errol. Lary Lorridale was er met haar man en natuurlijk ontbrak ook meneer Havisham niet. Bovendien was de aantrekkelijke miss Vivian Herbert naar het kasteel gekomen. Ze droeg een prachtige witte japon en beschermde zich met een parasol van witte kant tegen de zon. Ze was zoals gewoonlijk omringd door vele mannen, maar haar belangstelling ging uit naar lord Fauntleroy. Zodra Cedric haar zag vloog hij haar om de hals. Het meisje kuste hem hartelijk terug, alsof hij haar geliefde broertje was.

— Mijn kleine lord! riep ze uit. Lieve vriend, wat ben ik gelukkig!

Ze nam hem bij de arm, om een wandeling te maken in het park. Cedric wees haar alles aan wat hij interessant vond. Toen ze bij meneer Hobbs en Dick kwamen zei hij:

— Miss Herbert, dit is nu mijn oude vriend meneer Hobbs en dat is mijn andere vriend, Dick. Ik heb hen al verteld hoe mooi u was en ze wilden graag kennis met u maken.

Vivian Herbert schudde handen en bleef nog even staan praten. Ze vroeg veel over Amerika en wilde graag weten welke indruk Engeland op beide mannen maakte.

Lord Fauntleroy verloor haar geen moment uit het oog. Hij vond het heerlijk dat ze zo'n goede indruk op meneer Hobbs en Dick maakte.

— Ze is inderdaad een erg mooi meisje, zei Dick,

toen ze verder wandelden. Ze is... hoe moet ik het zeggen... een echte schoonheid.

Ze zag er zo charmant uit dat iedereen haar nakeek.

De zon scheen vriendelijk, de vlaggen wapperden in een licht briesje en het feest was in volle gang. De kleine lord voelde zich vrolijk en blij. Voor hem was de hele wereld één groot feest.

Maar er was nog iemand die zich gelukkig voelde. Dat was een oude man, die na een lang leven vol luxe, nog nooit zoveel blijdschap had gekend. Misschien dat dat van hem een beter mens zou maken. Natuurlijk werd de graaf niet van de ene op de andere dag een goed mens, al gaf zijn kleinzoon dan ook hoog op van zijn kwaliteiten. Maar toch moet worden gezegd dat van de knorrige graaf weinig meer over was. Hij had er zelfs plezier in op verzoek van zijn kleinzoon goed werk te doen. In tegenstelling tot wat hijzelf had gedacht, kon hij het uitstekend vinden met de weduwe van zijn zoon. Hij begon zich zelfs aan haar te hechten. Haar mooie gezicht en haar lieve stem waren niet meer uit zijn leven weg te denken. Vaak ging hij in zijn stoel zitten om naar de gesprekken tussen moeder en zoon te luisteren.

Ze gingen zo lief en teder met elkaar om, dat het hem in het begin verbaasde, maar ook amuseerde. Nu pas begreep hij waarom de kleine jongen, die een eenvoudig leventje had geleid in New York en omging met kruideniers en schoenpoetsers, zulke keurige manieren had. Nooit hoefde iemand zich voor dit kind te schamen, zelfs niet toen het lot besliste dat hij als lord de erfgenaam zou zijn van één van de grootste fortuinen van Engeland, een oude naam en een groot landgoed.

Dat alles kwam doordat hij was opgevoed door een liefhebbende moeder, die hem had bijgebracht goed te zijn voor de medemens. Bij zijn komst in Engeland had hij niets geweten over adellijke kringen en bezit, maar zijn goede karakter, zijn opvoeding en oprechtheid, waren meer waard dan alle schatten ter aarde.

Toen de graaf van Dorincourt daar in het park het feestvarken zag, voelde hij dat hij trots op hem was. En die trots werd nog groter toen ze samen de tent ingingen, waar de pachters en hun vrouwen waren uigenodigd voor een banket.

Daar werd met ongebruikelijk enthousiasme een toast uitgebracht op de graaf en de kleine lord. Het leek wel of de graaf plotseling een populair man was geworden. Wat een ovatie! De glazen werden geheven en er werd in de handen geklapt.

Dat iedereen dol was op de kleine lord was al een tijd duidelijk, maar nu werd het kind verwelkomd met een keihard hoerageroep. Niemand maakte zich er druk over of dat de bezoekers van het kasteel zou storen. De vrouwen keken van de graaf naar mevrouw Errol en natuurlijk naar de kleine lord, die tussen zijn moeder en zijn grootvader in stond.

— God zegene onze kleine lord! klonk het steeds.

Lord Fauntleroy was er verrukt over. Hij stond te glimlachen en te buigen en zijn gezichtje was tot aan de inplant van zijn blonde krullen vuurrood.

— Is dat omdat ze van me houden, Liefste? Zeggen ze het daarom? Ja? Oh, wat ben ik daar blij om!

De graaf legde een hand op de schouder van Cedric.

— Fauntleroy, zei hij, je moet hen bedanken voor hun vriendelijkheid.

Cedric keek eerst hem en toen zijn moeder aan.

— Moet dat? vroeg hij verlegen.

Zijn moeder lachte en Vivian Herbert, die een eindje verderop stond, lachte ook. Beiden knikten naar hem. Allen keken naar het kleine vriendelijke jongetje. Plotseling klonk zijn heldere kinderstem:

— Ik dank jullie allemaal hartelijk. Ik hoop dat jullie veel plezier hebben gehad op mijn verjaardag. Ik heb het een heel fijne dag gevonden. Eerst vond ik het niet zo leuk, maar nu vind ik het heel prettig om graaf te worden. Ik zal mijn best doen om het net zo goed te doen als mijn grootvader.

De mensen in de tent die met belangstelling hadden geluisterd, juichten hem toe. De kleine lord zuchtte van verlichting en legde zijn hand in die van de graaf.

Zo verliep de verjaardag van de kleine lord.

Verder valt er weinig te vertellen. Meneer Hobbs had zich zo verzoend met de adel, dat hij zijn winkel in New York verkocht en een zaak in Erleboro opende, die door de klandizie van het kasteel al snel erg goed liep.

De opleiding van Dick duurde tien jaar. Toen die voltooid was, ging hij naar Californië om zijn broer te bezoeken. Natuurlijk vroeg hij aan meneer Hobbs of hij meeging, maar daar had de kruidenier helemaal geen zin in.

— Ik zou daar niet meer willen wonen, zei hij. Ik wil hier bij hem blijven, dan kan ik een oogje in het zeil houden. Amerika is een best land, maar voorouders zijn er onbekend en voorzover ik weet woont er geen enkele graaf.

Inhoud

© HEMMA
"D" : 4.94/0058/119

Printed in India